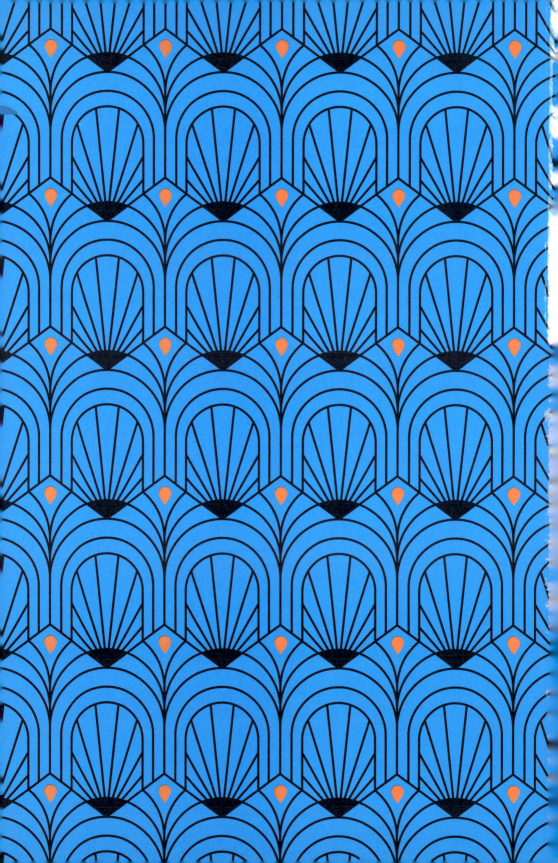

E NÃO SOBROU NENHUM

AGATHA CHRISTIE

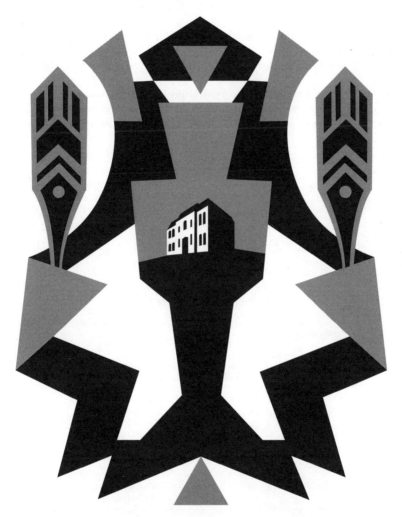

E NÃO SOBROU NENHUM

Tradução de
Renato Marques de Oliveira

GLOBOLIVROS

AND THEN THERE WERE NONE copyright ©1939 Agatha Christie Limited. Todos os direitos reservados. E NÃO SOBROU NENHUM, AGATHA CHRISTIE, POIROT e a assinatura de Agatha Christie são marcas registradas de Agatha Christie Limited no Reino Unido e demais territórios. Todos os direitos reservados.

Copyright © 2021 by Editora Globo S.A. para a presente edição.

Tradução intitulada *E não sobrou nenhum* © 2009 Agatha Christie Limited.

Todos os direitos reservados. Nenhuma parte desta edição pode ser utilizada ou reproduzida — em qualquer meio ou forma, seja mecânico ou eletrônico, fotocópia, gravação etc. — nem apropriada ou estocada em sistema de banco de dados sem a expressa autorização da editora.

Texto fixado conforme as regras do Acordo Ortográfico da Língua Portuguesa (Decreto Legislativo nº 54, de 1995).

Editora responsável: Amanda Orlando
Assistente editorial: Isis Batista
Revisão: Bruna Brezolini
Diagramação: Equatorium Design
Capa: Rafael Nobre

CIP-BRASIL. CATALOGAÇÃO NA PUBLICAÇÃO
SINDICATO NACIONAL DOS EDITORES DE LIVROS, RJ

C479e

Christie, Agatha, 1890-1976
    E não sobrou nenhum / Agatha Christie ; tradução Renato Marques de Oliveira. -[5. ed]. - Rio de Janeiro : Globo Livros, 2021.
    336 p. ; 23 cm.

    Tradução de: And then there were none
    ISBN 978-65-5987-033-2

    1. Romance inglês. I. Oliveira, Renato Marques de. II. Título.

21-74080   CDD: 823
                           CDU: 82-31(410.1)

Leandra Felix da Cruz Candido - Bibliotecária - CRB-7/6135
26/10/2021   27/10/2021

1ª edição, 2009; 2ª edição, 2011; 3ª edição, 2011; 4ª edição, 2014
5ª edição, 2021 - 4ª reimpressão, 2024

Direitos exclusivos de edição em língua portuguesa para o Brasil adquiridos por Editora Globo S.A.
Rua Marquês de Pombal, 25 — 20230-240 — Rio de Janeiro — RJ
www.globolivros.com.br

1

ACOMODADO NO CANTO DE um vagão para fumantes da primeira classe, o juiz Wargrave, recentemente aposentado, dava baforadas num charuto e, com interesse, passava os olhos pelo caderno de política do *Times*.

Por um instante, largou o jornal e deu uma espiada rápida pela janela. Estavam passando pelo condado de Somerset. Olhou de relance seu relógio de pulso — mais duas horas de viagem.

Mentalmente, começou a recapitular tudo o que fora publicado nos jornais sobre a ilha do Soldado. Pensava e repensava em todos os acontecimentos. Primeiro, a notícia da compra da ilha por um milionário norte-americano fanático por iatismo — e a descrição da moderna e luxuosa casa que ele havia construído nessa ilhota ao largo da costa de Devon. O desafortunado fato de que a nova e terceira esposa do norte-americano sofria de enjoo do mar acabara levando o milionário a pôr à venda a casa e a ilha. A imprensa noticiou o negócio com anúncios entusiasmados. Então veio à tona a primeira e abrupta declaração de que a propriedade fora vendida a um tal mr. Owen. Depois disso teve início a boataria dos cronistas sociais e das colunas de fofocas. Na verdade, a ilha do Soldado havia sido comprada por miss Gabrielle Turl, a estrela de Hollywood! Ela queria passar alguns meses na ilhota, incógnita e a salvo de toda publicidade! Com delicadeza, *Busy Bee** insinuou que a casa serviria de residência para a realeza! Mr. *Merryweather*** ouvira rumores de

---

* Em inglês, "Busy bee" refere-se à pessoa ágil e enérgica, como na expressão "as busy as a bee": "ativo como uma abelha", "ocupadíssimo". [N.T.]
** Literalmente, "sr. Tempo Bom", "sr. Otimista". [N.T.]

que fora comprada para uma lua de mel — o jovem lorde L. havia finalmente se rendido às flechadas do Cupido! Jonas tinha como fato consumado que o comprador era o almirantado, com o propósito de realizar ali experimentos altamente confidenciais!

Definitivamente, a ilha era notícia!

O juiz Wargrave enfiou a mão no bolso e retirou uma carta. A letra era praticamente ilegível, mas aqui e ali a inesperada clareza de algumas palavras chamava a atenção. *Querido Lawrence... tantos anos sem ter notícias suas... deve vir à ilha do Soldado... o lugar mais encantador... temos tanto para conversar... velhos tempos... comunhão com a natureza... esticados ao sol, como lagartos... 12h40, saindo da estação de Paddington... encontro você em Oakbridge...* e o remetente assinava com um floreio: *sempre sua, Constance Culmington.*

Num esforço de memória, o juiz Wargrave remeteu a mente ao passado, tentando lembrar-se do momento exato em que vira lady Constance Culmington pela última vez. Já fazia sete, não, oito anos, ocasião em que ela estava de partida para a Itália, a fim de aquecer-se ao sol e viver em comunhão com a natureza e os *contadini.** Mais tarde, ele ouviu dizer, ela prosseguiu viagem e foi para a Síria, onde tinha a intenção de aquecer-se sob um sol ainda mais forte e viver em comunhão com a natureza e os beduínos.

Constance Culmington, refletiu ele, era exatamente o tipo de mulher que compraria uma ilha para cercar-se de mistério! Balançando a cabeça num gesto suave de aprovação à sua própria lógica, o juiz Wargrave deixou-a tombar...

Pegou no sono...

---

* Em italiano, *contadino* (plural *contadini*) pode ser "agricultor", "camponês" ou "fazendeiro". [N.T.]

2

NUM VAGÃO DA TERCEIRA CLASSE, na companhia de cinco outros passageiros, Vera Claythorne recostou a cabeça e fechou os olhos. Que dia quente para viajar de trem! Seria ótimo ir para o mar! Era realmente muita sorte ter conseguido aquele emprego! Procurar trabalho durante as férias significava, quase sempre, tomar conta de um enxame de crianças — o cargo de secretária era muito mais difícil de obter. Nem mesmo a agência de empregos havia lhe dado grandes esperanças.

E então chegara aquela carta.

Recebi da parte da Agência de Mulheres Especializadas a indicação de seu nome, juntamente com referências e recomendações. Suponho que a conheçam pessoalmente. Terei prazer em pagar o salário que a senhorita está pedindo e espero que assuma suas funções em 8 de agosto. O trem é o das 12h40, saindo de Paddington, e a senhorita será recebida na estação de Oakbridge. Incluo aqui cinco notas de uma libra para as despesas.

Sinceramente,
Una Nancy Owen

E, no alto, o endereço impresso: ilha do Soldado, Sticklehaven, Devon...

Ilha do Soldado! Ora, ultimamente os jornais não falavam de outra coisa! Todo tipo de insinuações e boatos interessantes, embora provavelmente em sua maioria infundados e mentirosos. Mas era certo que a casa fora construída por um milionário, e dizia-se que era absolutamente a última palavra em matéria de luxo.

Exausta pelo extenuante semestre escolar recém-terminado, Vera Claythorne pensava consigo: "Ser instrutora de jogos e de educação física numa escola de terceira classe não é lá grande coisa... Se eu pelo menos conseguisse um emprego em alguma instituição de ensino *decente*".

Então, com uma sensação de frio invadindo seu coração, refletiu: "Mas até que tenho sorte. Afinal de contas, as pessoas não gostam de ninguém que já tenha se envolvido num inquérito de morte suspeita, mesmo que a investigação tenha me isentado de qualquer culpa!". O juiz havia até cumprimentado-a por sua presença de espírito e sua coragem. Para um inquérito judicial, as coisas não poderiam ter sido melhores. E mrs. Hamilton havia sido para ela a bondade em pessoa — somente Hugo... (*mas ela não pensaria em Hugo!*).

De repente, apesar do calor no vagão, ela sentiu um calafrio atravessar todo o seu corpo e desejou não estar viajando para o mar. Em seu íntimo, vislumbrou com nitidez uma cena. *A cabeça de Cyril, balançando para cima e para baixo, erguendo-se e afundando novamente em direção ao rochedo...* para cima e para baixo, para cima e para baixo... E ela própria nadando atrás dele com braçadas suaves e experientes — abrindo caminho na água, mas sabendo de antemão, com toda a certeza, que não chegaria a tempo...

O mar — o azul profundo e cálido do mar —, manhãs passadas na areia... Hugo... Hugo, que dissera que a amava...

Ela *não* devia pensar em Hugo...

Abriu os olhos e franziu a testa para o homem sentado à sua frente. Um homem alto, de rosto moreno, olhos claros e bastante próximos um do outro, a boca arrogante, quase cruel.

Ela pensou:

— Aposto que ele já esteve em várias partes interessantes do mundo e já viu muitas coisas interessantes...

3

PHILIP LOMBARD, NUM RÁPIDO RELANCE de olhos vivos e irrequietos, avaliou a moça sentada à sua frente e pensou:

— Ela é bastante atraente, talvez um pouco professorinha demais.

Tranquila e senhora de si, imaginou ele, o tipo de mulher capaz de dominar suas ações — tanto na guerra como no amor. Ele gostaria muito de tomar conta dela...

Franziu as sobrancelhas, desaprovando a própria imaginação. Não, nada disso. Vamos parar com essas coisas. Isto aqui é uma viagem de negócios. Devia concentrar-se no trabalho que tinha a fazer.

Mas qual era exatamente o seu trabalho e o que estava de fato acontecendo? Aquele maldito tinha sido muito misterioso.

— É pegar ou largar, capitão Lombard.

Pensativo, ele perguntara, à guisa de confirmação:

— Cem guinéus, não é?

Falava de maneira casual, displicente, como se para ele cem guinéus nada significassem. *Cem guinéus*, quando estava literalmente arruinado, à beira da fome! Porém julgava que o judeu não se deixara enganar — seria mesmo verdade o que diziam a respeito dos judeus? Era impossível passar aquele homem para trás em matéria de dinheiro: ele *sabia*!

No mesmo tom de voz despreocupado, Lombard insistiu:

— E o senhor não pode me dar mais nenhuma informação?

Com ar resoluto, mr. Isaac Morris balançara a cabeça pequena e calva.

— Não, capitão Lombard, assunto encerrado. O meu cliente está a par da sua reputação de homem notável em situações de apuro e perigo. Estou autorizado a pagar ao senhor cem guinéus; em troca do dinheiro, o senhor deverá viajar para Sticklehaven, em Devon. A estação mais próxima é Oakbridge, na qual estarão à sua espera para levá-lo de carro a Sticklehaven, onde uma lancha o transportará à ilha do Soldado. Lá o senhor se colocará à disposição do meu cliente.

— Por quanto tempo? — perguntara Lombard, de supetão.

— Uma semana, no máximo.

Cofiando o bigodinho, o capitão Lombard salientou:

— O senhor deve saber que não posso fazer nada... ilegal.

Enquanto falava, fulminava o interlocutor com um olhar penetrante. A resposta em tom grave e cordial saiu dos grossos lábios semíticos de mr. Morris, acompanhada de um ligeiro sorriso.

— Se qualquer coisa ilegal for proposta ao senhor, obviamente o senhor terá plena liberdade de recusar e desistir.

Maldito velhaco, ele estava sorrindo! Era como se soubesse muito bem que nos atos cometidos por Lombard no passado a legalidade nem sempre havia sido condição *sine qua non...*

Os lábios do próprio Lombard esboçaram um sorriso.

Sim, ora bolas! De fato, por uma ou duas vezes ele havia se arriscado demais. Mas sempre conseguiu safar-se! Na realidade, não havia muito limite para seus escrúpulos...

Não, não havia muito limite. Imaginou que ia se divertir na ilha do Soldado...

4

NUM VAGÃO PARA NÃO FUMANTES, miss Emily Brent estava sentada de maneira rígida, com as costas bem aprumadas, como era seu costume. Tinha sessenta e cinco anos e não aprovava maneiras relaxadas. Seu pai, um coronel à moda antiga, havia sido particularmente minucioso a respeito da postura da filha, sobretudo no jeito de andar, sentar e mover-se.

A geração atual era vergonhosamente negligente, tanto nas posturas no trem — gente que se sentava em desalinho, esparramando-se ou estirando os membros de modo preguiçoso — como *em tudo o mais*...

Sentada no abarrotado vagão de terceira classe e envolta numa aura de retidão e de princípios obstinados e implacáveis, miss Brent triunfava sobre o desconforto e o calor do trem. Hoje em dia todo mundo fazia tanto estardalhaço acerca das coisas! Todos queriam injeções de anestesia para arrancar um dente, tomavam remédios quando não conseguiam dormir, queriam poltronas e almofadas, e as moças deixavam-se arrastar de lá para cá, negligentes na aparência, desmazeladas na maneira de trajar, exibindo-se, descuidadas e seminuas, nas praias durante o verão.

Miss Brent comprimiu os lábios com força. Gostaria de dar uma lição a certas pessoas, castigando-as para que servissem de exemplo.

Lembrou-se das férias de verão do ano anterior. Este ano, porém, seria bem diferente. A ilha do Soldado...

Mentalmente, releu a carta que já havia lido tantas vezes:

Prezada miss Brent,
Espero que se lembre de mim. Estivemos juntas na pensão de Belhaven, há alguns anos, no mês de agosto, e parecíamos ter muito em comum. Estou abrindo uma

casa de hóspedes de minha propriedade, numa ilha da costa de Devon. Acredito realmente que hoje em dia ainda haja espaço para uma casa com comida simples e que receba gente boa e de bons costumes, à moda antiga. Nada de nudez nem de gramofones até altas horas da noite. Eu ficaria muito feliz se a senhorita pudesse passar suas férias de verão na ilha do Soldado — inteiramente sem custos — como minha convidada. Alguma data em meados de agosto é conveniente, talvez dia 8?

Sinceramente,
U.N.—

Qual era o nome? A assinatura era bastante difícil de ler. Impaciente, Emily Brent pensou: "Muita gente assina de modo quase ilegível".

Deixou a mente correr solta, trazendo à memória as pessoas que conhecera em Belhaven, onde passara dois verões seguidos. Havia aquela encantadora senhora de meia-idade, mrs. ... mrs. ... qual *era* mesmo o nome dela? O pai era cônego. E havia também a miss Olton... Ormen... Não, com certeza era *Oliver*! Sim, era isso... Oliver.

Ilha do Soldado! Os jornais tinham publicado várias coisas sobre a ilha do Soldado — algo sobre uma estrela do cinema, ou era um milionário norte-americano?

Obviamente, quase sempre esses lugares acabavam ficando muito baratos. Ilhas não são para todo mundo. Todos acham a ideia romântica, mas, quando vão morar ali, percebem as desvantagens e ficam felizes em vender a casa.

Emily Brent pensou: "De qualquer forma, terei férias gratuitas".

Com a sua renda tão reduzida e tantos dividendos atrasados, era de fato algo a ser levado em consideração. Se ela pelo menos conseguisse lembrar-se um pouco mais sobre mrs. — ou era miss? — Oliver...

5

O GENERAL MACARTHUR OLHOU PELA janela do vagão. O trem acabava de chegar a Exeter, onde ele teria de fazer baldeação. Malditos trens lerdos de ramal! Em linha reta, esse tal lugar, a ilha do Soldado, não ficava longe...

Ele não tinha ideia exata de quem era o tal Owen. Ao que parecia, tratava-se de um amigo de Spoof Leggard e de Johnnie Dyer.

— *Um ou dois de seus velhos colegas também virão* — *gostaria de conversar sobre os velhos tempos.*

Bem, ele adoraria um bate-papo sobre os velhos tempos. Ultimamente, andava com a impressão de que os amigos o evitavam, receosos. Tudo graças àquele boato infernal! Por Deus, como era duro — agora já fazia quase trinta anos! Armstrong devia ter dado com a língua nos dentes, supôs. Rapazinho execrável! Afinal de contas, o que ele sabia a respeito? Bom, nada de remoer essas coisas! Às vezes imaginamos demais — imaginamos que um sujeito está nos olhando de maneira esquisita.

A tal ilha do Soldado, ele gostaria de vê-la. Muita fofoca circulando. Aparentemente podia haver algo de verdade no boato de que caíra nas mãos do almirantado ou do Gabinete de Guerra da Força Aérea.

Quem construíra de fato a casa fora o jovem Elmer Robson, o milionário norte-americano. Dizia-se que gastara milhares de libras. Todo o luxo do mundo que o dinheiro podia comprar.

Exeter! E mais uma hora de espera! E ele não queria esperar. Queria seguir adiante...

6

DIRIGINDO SEU MORRIS, O DOUTOR Armstrong atravessava a planície de Salsbury. Estava muito cansado... O sucesso tinha seu preço. Houve um tempo em que ele ficava sentado no seu consultório da rua Harley, vestido com correção, cercado dos mais modernos aparelhos e do mais luxuoso mobiliário, esperando, em meio aos dias vazios, pela vitória ou pelo fracasso de seu empreendimento...

Pois bem, fora bem-sucedido! Tivera sorte! Sorte *e* talento, é claro. Era um homem bom no que fazia, que entendia da sua profissão — mas isso não bastava para ter sucesso. Era preciso também ter sorte. E ele a tivera! Um diagnóstico bem-feito, algumas pacientes agradecidas — mulheres com dinheiro e posição —, e a fama começou a correr. — Você devia marcar uma consulta com Armstrong, ele é ainda bem jovem, mas é simplesmente brilhante! Pam peregrinou de médico em médico durante anos a fio, mas ele acertou na mosca de primeira! — E a bola tinha começado a rolar.

E agora o doutor Armstrong tinha finalmente chegado lá. Depois de famoso, seus dias eram cheios. Quase não sobrava tempo livre para lazer. Por isso, nessa manhã de agosto, ele se sentia satisfeito em sair de Londres para ir passar alguns dias numa ilha ao largo da costa de Devon. Não que se tratasse propriamente de uma folga. A carta que tinha recebido era bastante vaga, mas nada havia de vago no cheque incluso. Honorários colossais! Esses Owen deviam estar nadando em dinheiro. Parecia haver uma pequena dificuldade: o marido estava preocupado com a saúde da esposa e queria um exame médico sem que ela se alarmasse. Ela não queria nem ouvir falar em médicos. Os seus nervos...

Nervos! O doutor arqueou as sobrancelhas. Essas mulheres e seus nervos! Bem, era bom para os negócios, afinal. Metade das mulheres que se consultavam com ele não tinha absolutamente nada de errado, a não ser tédio, mas elas não ficariam nem um pouco gratas se ele lhes dissesse a verdade! E em geral sempre se podia encontrar alguma coisa.

— Uma condição ligeiramente fora do comum do... alguma palavra difícil e comprida..., nada de sério, mas que precisa apenas ser controlada. Um tratamento simples.

Ora, em grande medida a medicina era a simples cura pela fé. E ele tinha jeito para a coisa — sabia inspirar fé e confiança.

Por sorte, ele tinha conseguido recompor-se a tempo depois daquela história, dez... não, quinze anos atrás! Aquela tinha sido por pouco! Estava quase caindo aos pedaços, mas o choque o fizera readquirir o domínio de si mesmo. Abandonara completamente a bebida. Caramba, por pouco não se dera mal...

Com uma buzinada devastadora e de arrebentar os ouvidos, um enorme Dalmain Super Sports passou correndo por ele, a 130 quilômetros por hora. O doutor Armstrong quase foi parar na sebe. Um desses jovens cretinos que dirigiam com ímpeto e violência pelo país. Ele os detestava! Mais uma vez, escapara por um triz. Maldito moleque idiota!

7

DESLOCANDO-SE VELOZMENTE NA DIREÇÃO de mere, Tony Marston dizia para si mesmo: "A quantidade de carros que se arrastam pelas estradas é assustadora! Tem sempre alguma coisa atravancando nosso caminho. E andam no meio da pista! Está impossível dirigir na Inglaterra... Não é como na França, onde realmente dá para *pisar na tábua*...".

Devia parar para beber alguma coisa ou continuar acelerando? Tempo de sobra! Só mais algumas centenas de quilômetros. Tomaria gim com cerveja de gengibre. Um calor de rachar!

A tal casa na ilha devia ser diversão garantida — se o bom tempo continuasse. Quem *eram* esses Owen? Podres de ricos, provavelmente. Badger era muito bom para descobrir e xeretar esse tipo de gente! Obviamente, ele *era obrigado* a fazer isso, o pobre coitado, já que não tinha dinheiro algum...

Espero que tenham um estoque decente de boa bebida. Com essa gente que fez fortuna, mas não nasceu com dinheiro, nunca dava para saber. Pena que não era verdade aquela história de Gabrielle Turl ter comprado a ilha do Soldado. Ele adoraria fazer parte do grupinho da estrela de cinema.

Bem, mas ele supunha que haveria algumas mulheres lá...

Ao sair do hotel, ele se espreguiçou, bocejou, olhou para o céu azul e, de um pulo, entrou no Dalmain.

Com olhar de admiração, várias moças acompanharam os movimentos de seu um metro e oitenta de altura, seu corpo atlético, seu cabelo crespo, o rosto bronzeado e os olhos de um azul intenso.

Com estrépito, acionou a embreagem e saiu roncando o motor pela rua estreita. Em nome da segurança, alguns velhos e meninos de recados saltaram, recuando para a calçada. Os últimos contemplaram o carro com um olhar embasbacado.

Anthony Marston prosseguiu em sua jornada triunfal.

8

MR. BLORE VIAJAVA NO VAGAROSO trem de Plymouth. No seu vagão havia apenas outro passageiro, um cavalheiro idoso e homem do mar, com olhos turvos de cansaço e sono. Naquele momento, o velho marinheiro havia adormecido.

Mr. Blore tomava notas meticulosas, escrevendo com extremo cuidado num caderninho.

— É o grupo todo — murmurou para si mesmo. — Emily Brent, Vera Claythorne, doutor Armstrong, Anthony Marston, o velho juiz Wargrave, Philip Lombard, general Macarthur, o criado e a esposa: mr. e mrs. Rogers.

Fechou o caderninho de notas e guardou-o no bolso. Olhou de relance para o canto, onde o outro cochilava.

— Tomou uns goles a mais — diagnosticou mr. Blore, com precisão.

De maneira cuidadosa e meticulosa, repassou mentalmente as coisas.

— A tarefa vai ser fácil demais — ruminou. — Não vejo como eu poderia cometer erros. Espero que esteja tudo bem com a minha aparência.

Ficou de pé e examinou-se ansiosamente no espelho. O bigode dava ao rosto refletido um ar ligeiramente militar. Um rosto quase nada expressivo. Os olhos eram cinzentos e bastante próximos um do outro.

— Podia passar por major — disse mr. Blore. — Não, ia me esquecendo. Tem aquele velho general. Ele me descobriria na mesma hora.

— África do Sul — continuou mr. Blore. — Esse deve ser meu tema, minha linha de conduta! Nenhuma dessas pessoas tem coisa alguma com a África do Sul, e andei lendo aquele folheto de viagem, por isso estou bem informado e posso conversar sobre o assunto sem problemas.

Felizmente, havia todos os tipos e espécies de coloniais. Como um sul-africano de posses, mr. Blore achava que podia frequentar qualquer sociedade sem despertar suspeitas.

Ilha do Soldado. Ele se lembrava de tê-la visitado ainda menino... Um tipo de rochedo fedido, repleto de gaivotas, a quase dois quilômetros da costa.

Era uma ideia esquisita construir uma casa naquela ilha! O lugar era horrível quando fazia mau tempo! Mas os milionários têm todo tipo de capricho!

O velho que cochilava no canto acordou e disse:

— No mar, nunca se sabe, nunca!

Mr. Blore respondeu de maneira suave, com voz macia: — É verdade. Nunca.

O velho soluçou duas vezes e disse, em tom queixoso:

— Está vindo um temporal.

Mr. Blore respondeu:

— Não, não, companheiro, está um dia lindo.

O velho retrucou, furioso:

— Vem aí um temporal. Posso sentir o cheiro.

— Talvez o senhor tenha razão — concordou mr. Blore, de maneira apaziguadora.

O trem parou na estação e o velho ergueu-se, equilibrando-se a duras penas.

— É aqui que eu desço. — Desajeitado, atrapalhou-se tentando abrir a janela. Mr. Blore o ajudou.

O velho parou na porta. Num gesto solene, ergueu a mão e piscou os olhos sonolentos.

— Vigiai e orai — disse. — Vigiai e orai. O Dia do Juízo está próximo.

E desmoronou pela porta, caindo na plataforma; deitado, ergueu os olhos para mr. Blore e anunciou, com imensa dignidade:

— Estou falando com *o senhor*, moço. O Dia do Juízo está muito próximo.

Deixando-se cair no seu assento, mr. Blore disse consigo:

— Ele está mais próximo do Dia do Juízo do que eu!

Mas, como se verá, estava enganado...

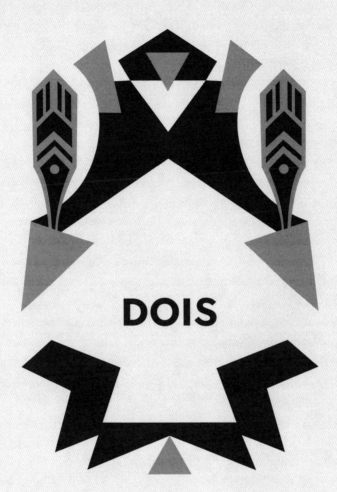

1

DO LADO DE FORA DA estação de Oakbridge, um pequeno grupo de pessoas aguardava de pé, em momentânea hesitação. Atrás delas, os carregadores, segurando as malas. Um deles chamou: — Jim!

O chofer de um dos táxis caminhou na direção do grupo.

— Estão indo para a ilha do Soldado, por acaso? — ele perguntou, com a voz macia, típica dos moradores de Devon. Quatro vozes aquiesceram — e imediatamente depois os integrantes do grupo trocaram olhares rápidos e sub-reptícios.

O taxista dirigiu-se ao juiz Wargrave, o mais velho do grupo:

— Temos dois táxis aqui, senhor. Um deles deve esperar o trem convencional de Exeter, coisa de cinco minutos; há mais um cavalheiro vindo nesse trem. Talvez um dos senhores não se incomode de esperar? Assim todos ficariam mais bem acomodados.

Vera Claythorne, em cuja mente estava muito bem definida a sua posição de secretária, respondeu de imediato:

— Eu espero, se os senhores quiserem ir.

Deu uma passada de vista nos outros três; sua voz e seu olhar tinham uma leve sugestão de comando, típica de quem estava acostumada a ocupar uma posição de autoridade. Era como se estivesse orientando suas alunas numa partida de tênis, determinando quantos *sets* as moçoilas deviam jogar.

— Obrigada — respondeu miss Brent, de maneira dura e formal; baixou a cabeça e entrou num dos táxis, cuja porta o chofer mantinha aberta.

Atrás dela embarcou o juiz Wargrave.

O capitão Lombard prontificou-se:

— Vou esperar com a senhorita...

— Claythorne — completou Vera.

— Meu nome é Lombard, Philip Lombard.

Os carregadores já estavam empilhando a bagagem no porta-malas. Dentro do táxi, o juiz Wargrave, com a devida cautela legal, tentou encetar uma conversa:

— O tempo está maravilhoso!

Miss Brent concordou:

— Sim, de fato.

"Um velho cavalheiro muito distinto", pensou. Bastante diferente do tipo habitual de homem que se vê nas pensões de beira-mar. Evidentemente, mrs. ou miss Oliver tinha boas relações...

O juiz Wargrave perguntou:

— A senhorita conhece bem estas bandas?

— Já estive na Cornualha e em Torquay, mas é a primeira vez que visito esta parte de Devon.

O juiz disse:

— Eu também não conheço esta parte do mundo.

O táxi partiu.

O motorista do segundo táxi perguntou:

— Gostariam de esperar dentro do carro?

Decidida, Vera respondeu:

— Não, de forma alguma.

O capitão Lombard esboçou um sorriso, e disse:

— Aquele muro banhado pelo sol parece mais atraente. A não ser que a senhorita prefira entrar na estação.

— Não mesmo! É ótimo estar fora daquele trem abafado.

Ele respondeu:

— Sim, viajar de trem com este tempo é bastante desagradável e cansativo.

Vera deu uma resposta pouco original:

— Mas espero que dure... o tempo, quero dizer. Nossos verões ingleses são tão traiçoeiros.

Com uma ligeira falta de originalidade, Lombard perguntou:

— A senhorita conhece bem esta região?

— Não, nunca estive aqui antes. — Determinada a imediatamente deixar às claras a sua posição, Vera emendou de pronto: — Nem sequer conheci meu empregador.

— Seu empregador?

— Sim, sou a secretária de mr. Owen.

— Ah, entendo. — Ainda que de modo imperceptível as maneiras do capitão mudaram. Tornaram-se um pouco mais seguras — com o tom de voz mais solto e relaxado. Ele perguntou: — Não acha isso um tanto incomum?

Vera soltou uma gargalhada.

— Oh, não, não acho que seja fora do comum. A secretária particular dele adoeceu subitamente e telegrafou a uma agência pedindo uma substituta, e a agência me enviou.

— Ah, então foi isso. Mas suponhamos que, chegando lá, o emprego não lhe agrade.

Vera riu de novo.

— Ah, sim, mas é apenas uma coisa temporária, um trabalho de férias. Já tenho um emprego permanente, numa escola para meninas. Para dizer a verdade, estou bastante empolgada com a ideia de conhecer a ilha do Soldado. Tenho lido tanta coisa a respeito nos jornais. O lugar é mesmo tão fascinante assim?

Lombard respondeu:

— Não sei. Nunca a vi.

— É mesmo? Os Owen devem adorar terrivelmente a ilha, suponho. Como eles são? Por favor, diga-me.

Lombard pensou: "Que esquisito — já devo tê-los conhecido ou não?". E apressou-se em dizer:

— Há uma vespa andando no seu braço. Não... não se mexa. — Saltou de chofre sobre a interlocutora, como uma fera desferindo um ataque, e fez um gesto convincente de quem espanta um inseto. — Pronto. Já foi embora!

— Oh, obrigada. Há muitas vespas neste verão.

— Sim, suponho que seja por causa do calor. Mas quem é que estamos esperando, a senhorita sabe?

— Não tenho a menor ideia.

Ouviu-se o guincho agudo e prolongado de um trem que se aproximava. Lombard disse:

— Bem, este deve ser o trem.

2

UM HOMEM VELHO E ALTO, de aspecto soldadesco, apareceu à saída da plataforma. Tinha o cabelo grisalho, cortado bem rente, e um bigode branco cuidadosamente aparado.

Seu carregador, cambaleando um pouco sob o peso de uma sólida mala de couro, apontou Vera e Lombard.

Vera deu um passo à frente, com ar competente, e disse:

— Sou a secretária de mr. Owen. Temos um carro aqui à espera. — E acrescentou: — Este é mr. Lombard.

Os olhos azuis desbotados, ainda perspicazes apesar da idade, avaliaram Lombard. Por um instante, o julgamento que fez do homem transpareceu no seu olhar — se ao menos houvesse alguém ali capaz de interpretar o que seus olhos diziam...

"Rapaz bonito. Mas há alguma coisa de errado nele..."

Os três entraram no táxi que os aguardava. Passaram pelas ruas pacatas da pequena Oakbridge e seguiram por cerca de dois quilômetros na estrada principal de Plymouth. Depois mergulharam num labirinto de vielas rústicas, íngremes, verdes e estreitas.

O general Macarthur disse:

— Não conheço absolutamente nada desta parte de Devon. Minha casinha fica no leste do condado... bem na divisa de Dorset.

Vera estava encantada:

— Este lugar aqui é realmente adorável. As colinas, a terra vermelha, tudo é tão verde e tão luxuriante!

Em tom de crítica, Philip Lombard observou:

— É um pouco fechado e isolado... Quanto a mim, prefiro o campo aberto. Onde dá para ver o que se aproxima...

O general Macarthur interpelou:

— O senhor já deve ter andado bastante pelo mundo, imagino?

Lombard deu de ombros, de maneira afrontosa.

— Já estive aqui e ali, senhor.

Pensou: "Agora ele vai me perguntar se eu já tinha idade suficiente para ter estado na guerra. É a pergunta que esses velhos sempre fazem".

Mas o general Macarthur não mencionou a guerra.

3

SUBIRAM UMA ENCOSTA ÍNGREME E desceram uma trilha em zigue-zague até Sticklehaven — um mero amontoado de chalés com um ou dois barcos de pesca atracados na praia.

Sob a luz do pôr do sol, avistaram pela primeira vez a ilha do Soldado, projetando-se do mar, ao sul.

Surpresa, Vera exclamou:

— É bem longe.

Ela havia feito uma imagem diferente da ilha, próxima da costa e encimada por uma bela casa branca. Mas não havia casa alguma à vista, apenas a silhueta escarpada do rochedo, vagamente semelhante à gigantesca cabeça de um soldado. Seu aspecto tinha algo de sinistro. Vera estremeceu de leve.

Na porta de uma pequena estalagem, a Sete Estrelas, havia três pessoas sentadas: a figura idosa, encurvada e de ombros caídos do juiz, a forma aprumada de miss Brent, e um terceiro homem — um sem-cerimônias grandalhão que caminhou para eles e apresentou-se.

— Pensamos que seria melhor esperar pelos senhores — ele disse. — Fazer uma viagem só. Permitam que eu me apresente. Meu nome é Davis. Minha terra natal é Natal, na África do Sul, ha, ha!

E riu com alegria.

O juiz Wargrave olhou para ele com perceptível malevolência. Era como se desejasse mandar esvaziar a sala do tribunal. Visivelmente, miss Brent não sabia ao certo se gostava ou não dos coloniais.

— Alguém gostaria de um traguinho antes de embarcarmos? — perguntou mr. Davis, hospitaleiro.

Uma vez que ninguém se mostrou interessado em sua proposta, ele se virou e ergueu o dedo, acenando.

— Então não devemos nos atrasar. Nossos amáveis anfitriões já devem estar nos esperando — disse ele.

Talvez tivesse notado que um curioso constrangimento tomou conta dos outros membros do grupo. Era como se a menção dos donos da casa tivesse um efeito curiosamente paralisante sobre os convidados.

Em resposta ao sinal que Davis fizera com o dedo, um homem desencostou-se do muro próximo ao qual estivera escorado e caminhou na direção do grupo. O jeito gingado de andar evidenciava que era um homem do mar. Tinha o rosto queimado pelo sol e pelos ventos e olhos escuros, com uma expressão ligeiramente evasiva. Falou com a voz macia dos moradores de Devon.

— Estão prontos para partir para a ilha, senhoras e senhores? O barco está esperando. Há dois cavalheiros vindo de carro, mas mr. Owen deu ordem de não esperá-los, pois não se sabe exatamente a que horas chegarão.

O grupo levantou-se. O guia conduziu-os ao longo de um pequeno píer de pedra, junto ao qual estava encostado um barco a motor.

Emily Brent disse:

— É um barco muito pequeno.

O dono da lancha respondeu de modo persuasivo:

— É um bom barco este, dona. Pode-se ir com ele até Plymouth num piscar de olhos.

O juiz Wargrave falou rispidamente:

— Mas nós somos muitos.

— O barco aguentaria levar o dobro, senhor.

Na sua voz agradável e tranquila, Philip Lombard opinou:

— Está tudo bem, não há perigo algum. O tempo está maravilhoso — o mar está sem ondas.

Ainda que cheia de dúvidas, miss Brent permitiu que a ajudassem a subir na embarcação. Os outros seguiram seu exemplo. Ainda não havia confraternização entre o grupo. Era como se cada membro fosse um enigma para os outros.

Estavam para zarpar quando o guia estacou, segurando o croque na mão.

Pela íngreme estradinha que seguia vilarejo adentro vinha chegando um automóvel. Era um carro tão fantástico e possante, tão superlativamente belo que tinha todo o aspecto de uma aparição sobrenatural. Ao volante, um rapaz de cabelos castanhos ondulando ao sabor do vento. Sob o resplendor da coloração fulva do ocaso, não parecia um homem, mas um jovem deus, um deus herói saído de alguma saga nórdica.

Ele apertou a buzina, e um sonoro rugido ecoou nos rochedos da baía.

Foi um momento fantástico, em que Anthony Marston parecia ser mais do que um simples mortal. A lembrança desse momento ficou impressa na memória de mais de um dos presentes por muito tempo depois.

4

SENTADO JUNTO AO MOTOR, Fred Narracott pensava que o grupo que viajava em seu barco era bastante estranho. Aquelas pessoas nada tinham a ver com a ideia que ele fazia de como deviam ser os hóspedes de mr. Owen. Ele esperava gente mais refinada, com mais classe. Damas e cavalheiros vestidos com elegância, em trajes náuticos, todos muito ricos e com aparência de gente importante.

Em nada se pareciam com os convidados de mr. Elmer Robson. Um leve sorrisinho tomou conta dos lábios de Fred ao se lembrar dos hóspedes do milionário. Aquilo sim era gente fina, aquilo sim era festa... e a quantidade de bebida que consumiam!

Já o tal mr. Owen devia ser um tipo diferente de cavalheiro. — Que coisa engraçada — pensou Fred, mas ainda não tinha posto os olhos em Owen... nem na esposa. Nem ao vilarejo ele viera uma única vez. Tudo fora encomendado e pago por aquele tal mr. Morris. As instruções eram sempre claras, o pagamento era sempre imediato, mas mesmo assim era esquisito. Os jornais diziam que havia algum mistério cercando Owen. Mr. Narracott concordava.

Talvez, afinal de contas, miss Gabrielle Turl tivesse mesmo comprado a ilha. Mas a sua teoria caiu por terra assim que ele viu de perto os passageiros. Aquela gente, não — nenhuma das pessoas daquele grupo parecia ter qualquer coisa com uma estrela de cinema.

Fred Narracott examinou seus passageiros um a um, de maneira imparcial e desapaixonada.

Uma velha solteirona, do tipo azeda, que ele conhecia muito bem. Aquela ali era intratável, ele podia apostar. Um velho militar — só pelo jeito de olhar, da velha escola do Exército. Uma moça bonitinha, mas ordinária, sem encantos nem o menor pingo do glamour de Hollywood. O cavalheiro rude e jovial — não, nem era um cavalheiro de verdade. Comerciante aposentado, isso sim, pensou Fred Narracott. O outro cavalheiro, o magro com cara de faminto e olhos irrequietos, era esquisito, era sim. Era possível que ele *talvez* tivesse algo a ver com o cinema.

Não, só havia um passageiro satisfatório na lancha. O último cavalheiro, o que chegara de carro (e que carro! Um carro como jamais fora visto em Sticklehaven; devia custar centenas e centenas de libras um carro daqueles). Ele era o tipo certo. Já nascera rico, isso sim. Se todos do grupo fossem iguais a ele... aí então ele entenderia.

Pensando bem, que negócio mais esquisito... a coisa toda era esquisita... muito esquisita...

5

O BARCO ENCRESPOU AS ÁGUAS e contornou o rochedo. Agora, finalmente a casa era visível. O lado sul da ilha era bem diferente. Inclinava-se num suave declive para o mar. Ali ficava a casa, de frente para o sul — baixa e quadrada, de desenho moderno, com janelas arredondadas que deixavam entrar uma profusão de luz.

Uma casa empolgante — uma casa que correspondia às expectativas!

Fred Narracott desligou o motor, e o barco penetrou suavemente numa pequena baía natural entre as rochas.

Rispidamente, Philip Lombard comentou:

— Deve ser difícil aportar aqui com tempo ruim.

Com voz alegre, Fred Narracott respondeu:

— Não dá para desembarcar na ilha do Soldado quando sopra um vento sudeste. Às vezes a ilha fica isolada e sem comunicação com a terra por uma semana ou mais.

Vera Claythorne pensou: "O abastecimento deve ser muito difícil. É a pior coisa de uma ilha. Todos os problemas domésticos são tão preocupantes".

O barco raspou de leve as rochas. Fred Narracott saltou; ele e Lombard ajudaram os outros a pisar em terra. Narracott amarrou o barco a uma argola encravada no rochedo. Depois ensinou o caminho, liderando o grupo na subida pelos degraus talhados na pedra.

O general Macarthur exclamou:

— Ah, mas que lugar encantador!

No entanto, sentia-se inquieto. Maldito lugar esquisito.

Assim que o grupo galgou os degraus e chegou a um terraço em cima, os ânimos se restabeleceram e todos recobraram o alento. Diante da porta aberta da casa, um mordomo de modos corretos os aguardava. Em seu aspecto havia uma serenidade e uma gravidade que tranquilizaram os convidados. Ademais, a própria casa era extremamente atraente, e a vista do terraço era magnífica...

O mordomo deu alguns passos e curvou-se numa suave e cerimoniosa reverência. Era um homem alto e esbelto, de cabelos grisalhos e ar muito respeitável. Ele disse:

— Queiram acompanhar-me por aqui, por favor.

No vasto salão, as bebidas já estavam à disposição. Filas de garrafas. Anthony Marston animou-se um pouco. Até então estava achando tudo aquilo uma espécie de brincadeira muito estranha. Não havia ninguém do seu quilate! O que o velho Badger tinha na cabeça ao colocá-lo naquela situação? Entretanto, tudo bem com as bebidas. E também havia gelo de sobra.

Mas o que aquele mordomo estava dizendo?

— Mr. Owen... infelizmente está atrasado... só chegará amanhã. Instruções... tudo que quiserem... gostariam de ir conhecer os seus quartos?... o jantar será servido às 20h...

6

VERA SEGUIRA MRS. ROGERS, esposa do mordomo, até o andar superior. A mulher abriu uma porta no final de um corredor e Vera entrou num quarto delicioso, com uma janela enorme que dava para o mar e outra voltada para o leste. Deixou escapar uma rápida exclamação de prazer.

Mrs. Rogers disse:

— Espero que a senhorita tenha aqui tudo o que deseja.

Vera olhou ao redor. Sua bagagem tinha sido trazida e aberta. Num lado do quarto havia uma porta que dava para um banheiro de azulejos azul-claros.

Ela respondeu de pronto:

— Sim, tudo, eu acho.

— É só tocar o sino quando precisar de alguma coisa, senhorita.

Mrs. Rogers tinha uma voz monótona, afetada. Vera olhou para ela com curiosidade. Que mulher fantasmagórica, pálida e descorada! Tinha o aspecto muito respeitável, com o cabelo repuxado para trás e o vestido preto. Olhos claros e estranhos, sempre se mexendo de um lado para o outro!

Vera pensou:

— Parece ter medo da própria sombra.

Sim, era isso: apavorada!

Parecia uma mulher que vivia sob o peso de um medo mortal...

Um pequeno arrepio subiu pela espinha de Vera. Mas do que aquela mulher tinha medo?

— Sou a nova secretária de mr. Owen — disse Vera, com simpatia. — Creio que a senhora já sabe.

— Não, senhorita, não sei de nada. Apenas uma lista das senhoras e cavalheiros e dos quartos que cada um deve ocupar.

Vera perguntou:

— Mrs. Owen não falou a meu respeito?

A mulher do mordomo pestanejou:

— Não vi mrs. Owen, ainda não. Chegamos apenas há dois dias.

"Que pessoas extraordinárias esses Owen", pensou Vera. Depois, em voz alta, perguntou:

— Quantos empregados há aqui?

— Só Rogers e eu, senhorita.

Vera franziu as sobrancelhas. Oito pessoas na casa — dez contando os anfitriões — e só um casal para atender a todos!

Mrs. Rogers disse:

— Sou boa cozinheira e Rogers é bastante jeitoso no cuidado da casa. Mas obviamente eu não sabia que viriam tantas pessoas.

— Mas a senhora consegue dar conta de todo o serviço?

— Oh, sim, senhorita, consigo, sim. Se a casa receber muitos visitantes com frequência, talvez mrs. Owen arranje mais ajuda extra.

— Espero que sim — disse Vera.

Mrs. Rogers virou-se para sair. Seus pés moviam-se sem ruído sobre o piso de tacos, como se flutuasse. Esgueirou-se quarto afora, como uma sombra.

Vera foi até a janela e sentou-se na poltrona ali postada. Sentia-se ligeiramente perturbada. Tudo aquilo, de certo modo, era um pouco esquisito. A ausência dos Owen, a pálida e fantasmagórica mrs. Rogers. E os hóspedes! Sim, os hóspedes também eram esquisitos. Que grupo mais sortido e bizarro!

"Gostaria de ter visto os Owen...", pensou. "Queria saber como são."

Levantou-se de supetão e, em seu desassossego, andou pelo quarto, agitada.

Um dormitório perfeito, completamente decorado em estilo moderno. Tapetes branco envelhecido no lustroso piso de parquete, paredes pintadas em tons suaves — um espelho comprido cercado de luzes. A cornija da lareira era despida de quaisquer ornamentos, a não ser um enorme bloco de mármore branco no formato de um urso, peça de arte moderna em que fora inserido um relógio. Por cima, numa reluzente moldura de cromo, um grande retângulo de pergaminho — um poema.

Vera ficou de pé diante da lareira e leu o texto. Era uma antiga rima infantil, e a historieta fez com que se lembrasse de seus tempos de criança:

Dez soldadinhos saem para jantar, a fome os move;
Um deles se engasgou, e então sobraram nove.

Nove soldadinhos acordados até tarde, mas nenhum está afoito;
Um deles dormiu demais, e então sobraram oito.

Oito soldadinhos vão a Devon passear e comprar chiclete;
Um não quis mais voltar, e então sobraram sete.
Sete soldadinhos vão rachar lenha, mas eis
Que um deles cortou-se ao meio, e então sobraram seis.

Seis soldadinhos com a colmeia, brincando com afinco;
A abelha pica um, e então sobraram cinco.

Cinco soldadinhos vão ao tribunal, ver julgar o fato;
Um ficou em apuros, e então sobraram quatro.

Quatro soldadinhos vão ao mar; um não teve vez,
Foi engolido pelo arenque defumado, e então sobraram três.

Três soldadinhos passeando no zoo, vendo leões e bois,
O urso abraçou um, e então sobraram dois.

Dois soldadinhos brincando ao sol, sem medo algum;
Um deles se queimou, e então sobrou só um.

Um soldadinho fica sozinho, só resta um;
Ele se enforcou,

E não sobrou nenhum.

Vera sorriu. Claro! Aquela era a ilha do Soldado!

Foi novamente sentar-se junto à janela e ali permaneceu um bom tempo, contemplando o mar lá embaixo.

Que imensidão a do mar! Dali não se via terra em parte alguma — somente a vasta extensão das águas azuis, ondulando ao sol do crepúsculo.

O mar... Tão pacífico hoje — às vezes tão cruel... O mar que nos arrasta para suas profundezas. Afogado... Encontrado afogado... Afogado no mar... Afogado... afogado... afogado...

Não, ela não queria se lembrar... *não* pensaria naquilo!

Tudo aquilo havia ficado para trás...

7

O DOUTOR ARMSTRONG CHEGOU À ilha do Soldado no exato momento em que o mar engolia o sol. Durante o trajeto, havia conversado com o barqueiro, um morador local. Estava ansioso para descobrir alguma coisa sobre os proprietários da ilha, mas o tal Narracott parecia curiosamente mal informado, ou talvez pouco disposto a falar.

Por isso, doutor Armstrong teve de se contentar em conversar sobre o tempo e a pesca.

Estava exaurido, depois da longa viagem de carro. Seus olhos ardiam. Quem viaja para o oeste dirige contra o sol.

Sim, ele estava muito cansado. O mar e a perfeita paz — era disso que precisava. Gostaria muito de tirar longas férias. Mas não podia dar-se ao luxo. Financeiramente, é claro que podia, mas não podia sumir e desligar-se do trabalho. Hoje em dia, as pessoas logo nos esquecem. Não, agora que havia alcançado o sucesso e a fama, devia continuar trabalhando arduamente.

Ele refletiu:

"Assim mesmo, esta noite imaginarei que não vou voltar... que dei um basta a Londres, à rua Harley e a tudo o mais."

Havia qualquer coisa de mágico numa ilha — a simples palavra sugeria fantasia. Perdia-se o contato com o mundo — uma ilha era um mundo próprio, um mundo à parte. Um mundo, talvez, do qual nunca poderemos regressar.

Ele pensou:

"Estou deixando a minha vida cotidiana para trás."

E, sorrindo para si mesmo, começou a fazer planos, fantásticos planos para o futuro.

E, ainda sorrindo, subiu os degraus talhados na pedra.

Avistou um cavalheiro idoso sentado numa cadeira do terraço; doutor Armstrong teve a impressão de que aquele rosto era vagamente familiar. Perguntou-se onde vira aquela cara de rã, aquele pescoço de tartaruga, aquela postura encurvada... sim, e aqueles olhos pequenos, pálidos e perspicazes? Claro... o velho Wargrave! Uma vez prestara depoimento numa audiência presidida por ele. Parecia sempre meio adormecido, mas era astuto como ninguém quando se tratava de alguma questão legal. Tinha grande poder sobre um júri — dizia-se que conseguia manipular e influenciar como e quando quisesse a decisão dos jurados. Por uma ou duas vezes tinha levado o júri a se decidir por condenações improváveis e inesperadas. Um juiz-carrasco, como algumas pessoas o chamavam...

Lugar esquisito para encontrá-lo... aqui, fora do mundo.

8

O JUIZ WARGRAVE PENSAVA:

"Armstrong? Lembro-me dele no banco das testemunhas. Muito correto e cauteloso. Todos os médicos são uns malditos tolos. Os da rua Harley são os piores." E sua memória deteve-se, com malevolência, num encontro recente que tivera com uma amável personagem naquela mesma rua.

Em voz alta, resmungou:

— As bebidas estão no salão.

O doutor Armstrong respondeu:

— Primeiro devo apresentar meus respeitos aos anfitriões.

O juiz Wargrave fechou os olhos novamente; mais do que nunca, sua aparência lembrava a de um réptil:

— O senhor não poderá fazer isso.

O doutor Armstrong ficou surpreso:

— Por que não?

O juiz esclareceu:

— Não há anfitrião nem anfitriã. Curioso estado de coisas. Eu não entendo este lugar.

O doutor Armstrong encarou-o por alguns instantes. Quando julgou que o velho cavalheiro pegara no sono, Wargrave falou, repentinamente:

— Conhece Constance Culmington?

— Hã... não, receio que não.

— Não tem importância — disse o juiz. — Uma mulher muito vaga... e com uma letra praticamente ilegível. Eu estava justamente me perguntando se não tinha vindo parar na casa errada.

O doutor Armstrong balançou a cabeça e subiu casa adentro.

O juiz Wargrave ficou refletindo sobre o tema Constance Culmington. Indigna de confiança, como todas as mulheres.

Sua mente passou então a divagar sobre as duas mulheres que estavam na casa: a velha solteirona taciturna e de poucas palavras e a moça. Não dava a mínima para a moça, uma diabinha fria e insensível, metida a sabichona e com ar de menina levada. Não, eram três mulheres, contando a mrs. Rogers. Criatura esquisita, que parecia estar o tempo todo morrendo de medo. Um casal respeitável, que conhecia bem o próprio ofício.

Nesse exato instante, Rogers apareceu no terraço, e o juiz aproveitou para perguntar:

— Sabe se lady Constance Culmington está sendo esperada?

Rogers o encarou.

— Não, senhor, não que eu saiba.

O juiz ergueu as sobrancelhas. Mas tudo que fez foi emitir um grunhido. E pensou:

"Ilha do Soldado, não é? Por aqui tem algum estraga-prazer pairando no ar, alguma mosca na sopa."

9

ANTHONY MARSTON ESTAVA TOMANDO BANHO. Deleitava-se com a água fumegante. Depois da longa viagem de carro, seus braços e pernas estavam doloridos e com cãibras. Pouquíssimos pensamentos passavam por sua cabeça. Anthony era uma criatura de sensações — e de ação.

Pensou:

— Acho que devo levar a coisa adiante — e em seguida afastou da mente todo e qualquer pensamento.

Água quente e fumegante... braços e pernas cansados... daqui a pouco, fazer a barba... um coquetel... jantar.

E depois?

10

MR. BLORE ESTAVA DANDO O laço na gravata. Não era muito bom nessas coisas.

Estava com boa aparência? Estava bem-vestido? Supunha que sim.

Ninguém tinha sido exatamente cordial com ele... Engraçada a maneira com que todos se entreolhavam... como se *soubessem*...

Bem, dependia dele.

Não queria estragar o próprio trabalho.

Ergueu os olhos para o poema infantil acima da cornija da chaminé.

Fora uma boa ideia pôr aquilo ali, um belo toque pessoal!

Ele pensou:

— Lembro-me desta ilha do tempo em que era menino. Nunca pensei que viria a fazer esse tipo de trabalho numa casa aqui. Talvez seja uma coisa boa o fato de que ninguém pode prever o futuro...

11

O GENERAL MACARTHUR ESTAVA FRANZINDO as sobrancelhas.

Maldição, aquilo tudo era esquisito como o diabo! Nada tinha a ver com o que ele fora levado a esperar...

Por qualquer bagatela, inventaria uma desculpa para ir embora... Jogaria tudo para o alto.

Mas a lancha havia voltado para terra firme.

Ele teria de ficar.

O tal Lombard, por exemplo, era um sujeito estranho.

Não era honesto. Podia jurar que o homem não era honesto.

12

AO SOAR DO SINO, Philip Lombard saiu do seu quarto e caminhou para a escada. Andava como uma pantera: suavemente, sem ruído. Havia nele todo um quê de pantera. Uma fera... agradável aos olhos.

Lombard sorria para si mesmo, satisfeito.

Uma semana, hein?

Aproveitaria bem essa semana.

13

NO SEU QUARTO, EMILY BRENT, vestida de seda preta e pronta para o jantar, lia a sua Bíblia.

Seus lábios se moviam, enquanto ia acompanhando as palavras do Salmo:

Os gentios enterraram-se na cova que fizeram; na rede que ocultaram ficou preso o seu pé. O Senhor é conhecido pelo juízo que fez; enlaçado foi o ímpio nas obras de suas próprias mãos. Os ímpios serão lançados no inferno.*

Seus lábios rijos se comprimiram. Ela fechou a Bíblia.

Levantou-se, prendeu na gola um broche com uma pedra de quartzo amarelo e desceu para jantar.

---

* Sl 9, 15-17. [N.T.]

1

O JANTAR ESTAVA QUASE NO FIM.

A comida tinha sido boa, e o vinho, perfeito. Rogers os servira muito bem.

Todos estavam mais animados e bem-dispostos. Tinham começado a conversar uns com os outros com mais liberdade e maior intimidade.

Já meio embriagado graças ao excelente vinho do Porto, o juiz Wargrave dizia coisas divertidas, mas com um humor cáustico; o doutor Armstrong e Tony Marston escutavam suas tiradas espirituosas. Miss Brent conversava com o general Macarthur; haviam descoberto alguns amigos em comum. Vera Claythorne fazia ao mr. Davis perguntas inteligentes sobre a África do Sul. Mr. Davis falava com bastante desenvoltura sobre o assunto. Lombard limitava-se a ouvir as conversas; por uma ou duas vezes, ergueu rapidamente os olhos semicerrados; de vez em quando seu olhar corria a esmo pela mesa, estudando os outros.

De súbito, Anthony Marston disse:

— Esquisitas estas coisas, não?

No centro da mesa redonda, sobre um suporte circular de vidro, havia algumas pequenas figuras de porcelana.

— Soldadinhos — disse Tony. — Ilha do Soldado. Acho que a ideia é essa.

Vera inclinou o corpo para a frente.

— Quantos são? Dez?

— Sim... são dez.

Vera exclamou:

— Que engraçado! Devem ser os dez soldadinhos do poema infantil, acho. No meu quarto, a historinha está emoldurada e pendurada sobre a cornija da lareira.

Lombard disse:

— No meu quarto também.

— No meu também.

— E no meu.

Todos se juntaram ao coro. Vera disse:

— É uma ideia divertida, não é?

O juiz Wargrave resmungou:

— Uma tremenda criancice — e serviu-se de mais vinho do Porto.

Emily Brent olhou para Vera Claythorne, que retribuiu o olhar. As duas se levantaram.

Na sala de estar, as janelas de batentes estavam abertas para o terraço, e o murmúrio do mar contra os rochedos penetrava os ouvidos das mulheres.

— Que som agradável — disse Emily Brent.

Vera respondeu à queima-roupa: — Eu detesto.

Os olhos de miss Brent fixaram-se nela, com surpresa. Vera corou. Mais serena, acrescentou:

— Não acho que este lugar seja muito agradável durante uma tempestade.

Emily Brent concordou:

— Não tenho dúvida de que a casa fica fechada no inverno — disse ela. — Para começar, seria impossível arranjar criados para ficarem aqui.

Vera murmurou:

— De qualquer maneira, deve ser difícil arranjar criados.

Emily Brent disse:

— Mrs. Oliver teve muita sorte em conseguir esses dois. A mulher é boa cozinheira.

Vera pensou:

"É engraçado como as pessoas idosas sempre erram os nomes."

E disse:

— Sim, acho que mrs. Owen teve mesmo muita sorte.

Emily Brent havia tirado da bolsa um pequeno trabalho de bordado.

No momento em que ia enfiar a agulha, deteve-se de repente. E, impetuosamente, perguntou:

— Owen? A senhorita disse Owen?

— Sim.

O comentário de Emily Brent foi categórico:

— Nunca conheci ninguém chamado Owen em toda a minha vida.

Vera encarou sua interlocutora.

— Mas, certamente...

Não terminou a frase. A porta se abriu e os homens entraram, juntando-se a elas. Rogers vinha atrás, carregando a bandeja do café.

O juiz aproximou-se e sentou-se ao lado de Emily Brent. Armstrong achegou-se a Vera. Tony Marston caminhou devagar até a janela aberta. Com surpresa ingênua, Blore pôs-se a estudar uma estatueta de bronze — talvez imaginando se, mesmo com aquelas bizarras angulosidades, devia realmente ser uma figura feminina. O general Macarthur ficou de costas para a cornija da lareira, afagando o bigodinho branco. Com mil diabos, fora um excelente jantar! Estava começando a animar-se. Lombard folheava as páginas do *Punch*, que, juntamente com outros jornais e revistas, estava sobre uma mesa junto à parede.

Rogers percorria a sala com a bandeja de café, que estava saboroso — muito preto e bem quente.

Todo o grupo havia jantado bem. Estavam todos satisfeitos, consigo e com a vida. Os ponteiros do relógio marcavam 21h20. O ambiente foi tomado pelo silêncio — um silêncio de saciedade e conforto.

Em meio ao silêncio ressoou A Voz. Inesperada, sem aviso, inumana, penetrante...

"Senhoras e senhores! Silêncio, por favor!"

Todos se sobressaltaram. Olharam à sua volta — uns para os outros, para as paredes. Quem estava falando?

A Voz continuou — uma voz cristalina, que falava em alto e bom som.

Os senhores e as senhoras são acusados dos seguintes crimes:

Edward George Armstrong, de ter causado, em 14 de março de 1925, a morte de Louisa Mary Clees.

Emily Caroline Brent, de ter sido responsável pela morte de Beatrice Taylor, em 5 de novembro de 1931.

William Henry Blore, de ter levado à morte James Stephen Landor, em 10 de outubro de 1928.

Vera Elizabeth Claythorne, de ter assassinado, em 11 de agosto de 1935, Cyril Ogilvie Hamilton.

Philip Lombard, de ter sido culpado, em certa data de fevereiro de 1932, pela morte de vinte e um homens, membros de uma tribo da África Oriental.

John Gordon Macarthur, de ter, em 14 de janeiro de 1917, enviado deliberadamente para a morte o amante de sua mulher, Arthur Richmond.

Anthony James Marston, de ter sido, no dia 14 de novembro último, culpado pelo assassinato de John e Lucy Combes.

Thomas Rogers e Ethel Rogers, de terem sido, em 6 de maio de 1929, os causadores da morte de Jennifer Brady.

Lawrence John Wargrave, de ter sido, em 10 de junho de 1930, responsável pelo assassinato de Edward Seton.

Acusados presentes no tribunal, têm alguma coisa a alegar em sua defesa?

2

A VOZ CALOU-SE.

Houve um momento de silêncio petrificado e, em seguida, um estrondo retumbante! Rogers deixara cair a bandeja do café: a louça se espatifara!

No mesmo instante, de algum lugar de fora da sala, ouviu-se um grito, seguido do baque.

Lombard foi o primeiro a mover-se. Saltou na direção da porta e a escancarou. Diante da soleira, jazia uma massa amontoada, o corpo de mrs. Rogers.

Lombard chamou:

— Marston.

Anthony se apressou a ajudá-lo. Juntos, ergueram a mulher e a carregaram para a sala de estar.

Rapidamente, o doutor Armstrong se aproximou. Ajudou os dois a deitá-la no sofá e inclinou-se sobre ela.

— Não é nada de mais. Ela apenas desmaiou, só isso. Em um minuto voltará a si.

Lombard pediu a Rogers:

— Arranje um pouco de conhaque.

Com o rosto branco e as mãos trêmulas, Rogers murmurou:

— Sim, senhor — e escapou rapidamente da sala.

Enfática, Vera perguntou:

— Mas que voz era essa? Quem é que estava falando? Parecia... parecia...

Gaguejando, só a muito custo o general Macarthur conseguiu falar, precipitada e incoerentemente:

— O que está se passando aqui? Que brincadeira foi essa?

Sua mão estava tremendo. Seus ombros curvaram-se. De repente, parecia dez anos mais velho.

Blore estava enxugando o rosto com um lenço.

Apenas o juiz Wargrave e miss Brent pareciam relativamente calmos e inalterados. Emily Brent continuava sentada de maneira aprumada, a cabeça bem erguida. Nas duas faces, uma pequena mancha de rubor. O juiz mantinha a postura habitual, sentado com a cabeça afundada nos ombros. Com uma das mãos, coçava suavemente a orelha. Só os seus olhos estavam ativos, irrequietos, movendo-se rápida e bruscamente pela sala, intrigados e alertas, exalando inteligência.

Mais uma vez, Lombard foi o primeiro a agir. Já que Armstrong estava ocupado com a mulher desfalecida, Lombard ficou livre para mais uma vez tomar a iniciativa.

— Essa voz? — disse ele. — Era como se saísse daqui, desta própria sala.

Vera gritou:

— *Quem foi?* Quem foi? Não foi nenhum de nós.

Assim como os do juiz, os olhos de Lombard percorreram lentamente toda a sala, até pousar por um instante na janela aberta para o terraço, quando ele então balançou decididamente a cabeça. De súbito, seus olhos se iluminaram. Caminhou a passos rápidos para uma porta que ficava junto da lareira e levava a uma sala contígua.

Com um gesto veloz, agarrou a maçaneta e abriu a porta de supetão. Entrou e imediatamente soltou uma exclamação satisfeita:

— Ah! Aqui está.

Os outros se apressaram em segui-lo, atropelando-se. Apenas miss Brent não se apinhou junto com a pequena multidão e permaneceu sentada em sua cadeira, rígida.

Na segunda sala, uma mesa tinha sido colocada junto à parede adjacente à sala de estar. Sobre essa mesa havia um gramofone — de modelo antigo, com uma enorme corneta, cuja boca estava encostada à parede. Lombard, afastando de lado o aparelho, apontou dois ou três pequenos buracos que tinham sido abertos discretamente na parede.

Ajustando o gramofone, ele reposicionou a agulha no disco, e imediatamente todos ouviram de novo: *"Os senhores e as senhoras são acusados dos seguintes crimes"*.

Vera gritou:

— Desligue isso! Desligue isso! É horrível!

Lombard obedeceu.

Com um suspiro de alívio, o doutor Armstrong disse:

— Uma brincadeira infame e cruel, suponho.

A voz miúda e cristalina do juiz Wargrave murmurou:

— Então o senhor pensa que se trata de uma brincadeira, é isso?

O médico o encarou:

— E o que mais poderia ser?

Com um gesto suave, o juiz roçou a mão pelo lábio superior, depois disse:

— No momento, não estou preparado para emitir uma opinião.

Anthony Marston intrometeu-se, exclamando subitamente:

— Vejam bem, os senhores estão se esquecendo de uma coisa. Quem foi o maldito diabo que ligou esta coisa e colocou o disco para tocar?

Wargrave murmurou:

— Sim, acho que devemos investigar isso.

Tomou a dianteira e voltou à sala de estar. Os outros o seguiram.

Rogers acabara de entrar com um copo de conhaque. Miss Brent estava curvada sobre o corpo de mrs. Rogers, que gemia, estirada no sofá.

Astutamente, Rogers insinuou-se entre as duas mulheres:

— Permita-me, senhora, eu falarei com ela. Ethel... Ethel... está tudo bem. Está tudo bem, ouviu? Recomponha-se.

A respiração de mrs. Rogers estava ofegante. Seus olhos, arregalados e apavorados, perscrutavam o círculo de rostos ao seu redor. Havia urgência no tom de voz de Rogers:

— Controle-se, Ethel.

O doutor Armstrong falou com ela, em tom suave:

— A senhora vai ficar boa, mrs. Rogers. Foi só um susto.

Ela perguntou:

— Eu desmaiei, senhor?

— Sim.

— Foi a Voz... aquela voz terrível... *como um julgamento...*

O rosto dela voltou a ficar verde, as pálpebras se agitaram.

— Cadê o conhaque? — perguntou rispidamente o doutor Armstrong.

Rogers colocara o copo em cima de uma mesinha. Alguém o pegou e passou para as mãos do médico, que se inclinou sobre a mulher ofegante e ofereceu a ela um gole.

— Beba isto, mrs. Rogers.

Ela bebeu com dificuldade, engasgando um pouco. O álcool fez bem para ela. Seu rosto recobrou a cor.

— Estou melhor agora. Foi só... um susto.

— É claro — Rogers apressou-se a dizer. — Eu também me assustei. Até derrubei a bandeja. Mentiras perversas, isso sim! Eu gostaria de saber...

O mordomo foi interrompido: era apenas uma tosse — uma tossezinha seca, mas que teve o efeito de fazê-lo parar bruscamente no meio da frase. Ele olhou para o juiz Wargrave, que tossiu de novo e perguntou:

— Quem pôs esse disco no gramofone? Foi você, Rogers?

Rogers respondeu aos berros:

— Eu não sabia o que era. Juro por Deus que não sabia o que era, senhor. Se soubesse, jamais teria feito isso.

O juiz respondeu secamente:

— Provavelmente é verdade, mas acho melhor você explicar, Rogers.

O mordomo enxugou o rosto com um lenço e disse, com sinceridade:

— Eu estava apenas obedecendo a ordens, senhor, só isso.

— Ordens de quem?

— Mr. Owen.

— Vamos ver se entendi direito, quero esclarecer a questão — disse o juiz. — As ordens do mr. Owen... quais eram, exatamente?

Rogers respondeu:

— Fui instruído a colocar um disco no gramofone. O disco estaria na gaveta, e minha mulher devia fazer funcionar o gramofone quando eu entrasse na sala com a bandeja do café.

O juiz murmurou:

— Uma história incrível.

— É a mais pura verdade, senhor. Juro por Deus que é a verdade. Eu não sabia o que era... não fazia a menor ideia, não desconfiei de nada. Tinha um nome escrito no disco... achei que era só alguma música.

Wargrave olhou para Lombard.

— O disco tem título?

Lombard aquiesceu com um sinal de cabeça. De repente, abriu um largo sorriso, mostrando os dentes brancos e afiados.

E disse:

— Isso mesmo, senhor. O título do disco é O *canto do cisne...*

3

INESPERADAMENTE, O GENERAL MACARTHUR INTERVEIO:

— Isso tudo é ridículo — é absurdo! Lançar acusações e difamações desse tipo! Alguma coisa deve ser feita. Esse tal de Owen, seja lá quem for...

Emily Brent o interrompeu, rispidamente:

— Isso mesmo, mas quem é ele?

O juiz interpôs-se. Falou com a autoridade de uma vida inteira passada nos tribunais:

— É isso precisamente o que devemos investigar, com muito cuidado. Em primeiro lugar, sugiro que você leve sua mulher para a cama, Rogers. Depois volte aqui.

— Sim, senhor.

O doutor Armstrong se ofereceu:

— Eu o ajudarei, Rogers.

Amparada pelos dois homens, mrs. Rogers levantou-se, cambaleando, e saiu tropegamente da sala. Assim que sumiram de vista, Tony Marston disse:

— Não sei quanto ao senhor, mas eu bem que apreciaria um drinque.

— Concordo — disse Lombard.

Tony disse:

— Vou ver onde ficam as bebidas.

Saiu da sala e voltou poucos instantes depois.

— Encontrei tudo numa bandeja, pronto para ser trazido e servido.

Depositou cuidadosamente a sua carga. Os dois minutos seguintes foram gastos na distribuição de bebidas. O general Macarthur serviu-se de uísque puro, e o mesmo fez o juiz. Todos sentiam necessidade de um estimulante. Só Emily Brent pediu e obteve um copo de água.

O doutor Armstrong entrou de novo na sala.

— Ela está bem — informou. — Dei a ela um sedativo. O que é isso, são drinques? Aceito um. Bem que estou precisando.

Alguns dos homens tornaram a encher o copo. Momentos depois, Rogers voltou à sala.

O juiz Wargrave tomou para si o comando do processo. A sala transformou-se num tribunal improvisado.

O juiz disse:

— Pois bem, Rogers, temos de examinar a fundo a questão. Quem é esse mr. Owen?

Rogers fitou-o com olhos arregalados.

— É o dono deste lugar, senhor.

— Disso já estou bem informado. O que eu quero que você me diga é o que sabe a respeito desse homem.

Rogers balançou a cabeça.

— Não posso dizer, senhor. Entenda, nunca o vi pessoalmente.

Houve uma ligeira agitação na sala.

— Você nunca o viu? Como assim, o que está querendo dizer com isso? — insistiu o general Macarthur.

— Estamos aqui há menos de uma semana, senhor, minha mulher e eu. Fomos contratados por carta, por meio de uma agência de empregos. A Agência Regina, de Plymouth.

Blore fez um gesto afirmativo com a cabeça e, voluntariamente, acrescentou:

— Firma antiga, tradicional.

Wargrave perguntou:

— Você ainda está com a carta?

— A carta nos contratando? Não, senhor, não a guardei.

— Continue a sua história. Segundo está dizendo, vocês foram contratados por carta.

— Sim, senhor. Devíamos chegar aqui em determinado dia. Obedecemos. Tudo aqui estava em ordem. Um bom estoque de comida na despensa e tudo muito bem organizado. Só foi preciso espanar, coisas do tipo.

— E depois?

— Nada, senhor. Recebemos ordens — novamente por carta — de preparar os quartos para receber hóspedes, e ontem, pelo correio da tarde, recebi outra carta de mr. Owen. Dizia que ele e mrs. Owen se atrasariam, nos mandava fazer o melhor que pudéssemos e dava também instruções sobre o jantar, o café e o gramofone.

— Certamente *essa* carta o senhor ainda tem, não? — perguntou o magistrado, com veemência.

— Tenho, senhor. Está aqui.

Tirou-a do bolso e entregou-a ao juiz.

— Hum — sussurrou ele. — Tem o timbre do Hotel Ritz e foi escrita à máquina.

Com um movimento rápido, Blore postou-se ao lado do juiz. E pediu:

— Se o senhor me permite, vou dar uma olhada.

Com um gesto brusco, arrancou-a das mãos do outro e correu os olhos por ela.

— Máquina Coronation — murmurou. — Novinha em folha, sem defeitos. Papel Ensign, o mais comum e o mais usado de todos. Por aqui não dá para descobrir nada. Pode ser que tenha impressões digitais, mas duvido.

Wargrave o encarou, com repentina atenção.

Anthony Marston ficou de pé ao lado de Blore, lendo o papel por cima do ombro deste. Momentos depois, comentou:

— Ele tem um nome de batismo extravagante, não tem? Ulick Norman Owen. Nome difícil de dizer.

Com um ligeiro sobressalto, o velho juiz disse:

— Fico agradecido, mr. Marston. O senhor chamou a minha atenção para um ponto curioso e sugestivo.

Olhou em torno da sala para os outros e, impelindo o pescoço para a frente, como uma tartaruga enraivecida, disse:

— Creio que chegou a hora de compartilharmos tudo o que sabemos uns com os outros. Seria bom, creio, que cada um de nós comunicasse todas as informações que possa ter a respeito do dono desta casa. — Fez uma pausa e depois acrescentou: — Somos todos hóspedes dele. Acho que seria bastante útil se cada um de nós explicasse exatamente em que circunstância isso veio a acontecer.

Depois de um breve instante de silêncio, Emily Brent falou com decisão:

— Há alguma coisa de muito singular em tudo isso. Recebi uma carta com uma assinatura que não era fácil de ler. O remetente se passava por uma mulher que encontrei em certa casa de veraneio, dois ou três anos atrás. Supus que o nome fosse Ogden ou Oliver. Conheço uma mrs. Oliver e também uma miss Ogden, mas tenho plena certeza de que jamais conheci ou fiz amizade com alguém chamado Owen.

O juiz Wargrave perguntou:

— Ainda tem consigo essa carta, miss Brent?

— Sim, vou buscá-la para o senhor.

Saiu da sala e um minuto depois estava de volta com a carta.

O juiz leu o papel e disse:

— Estou começando a entender... Miss Claythorne?

Vera explicou as circunstâncias de sua contratação como secretária.

O juiz deu continuidade ao interrogatório:

— Marston?

Anthony contou sua história:

— Recebi um telegrama. De um amigo meu, Badger Berkeley. O que me surpreendeu um pouco, pois imaginava que o malandro tivesse ido para a Noruega. Dizia para eu dar um pulo aqui.

Wargrave assentiu com a cabeça.

— Doutor Armstrong?

— Fui chamado profissionalmente.

— Sei. Não conhecia a família antes?

— Não. A carta mencionava um colega meu.

O juiz decretou:

— Para dar verossimilhança... Sim; e esse colega, presumo, estava momentaneamente sem contato com o senhor?

— Bem... hã... sim.

Lombard, que tinha os olhos fixos em Blore, disse de súbito:

— Escutem, acabo de pensar numa coisa...

O juiz ergueu a mão.

— Espere um minuto...

— Mas eu...

— Uma coisa de cada vez, mr. Lombard. No momento estamos investigando as razões por que acabamos todos reunidos aqui esta noite. General Macarthur?

Sempre cofiando o bigode, o general balbuciou:

— Recebi uma carta... desse sujeito Owen... mencionando velhos amigos meus que se encontrariam aqui... pedia-me que desculpasse a informalidade do convite. Acho que não guardei a carta, infelizmente.

Wargrave disse:

— Mr. Lombard?

A mente de Lombard estava inquieta. Falaria abertamente o que estava pensando ou não? Tomou sua decisão.

— A mesma coisa — respondeu. — Convite, menção de amigos comuns. Deixei-me enganar. Caí direitinho. Rasguei a carta.

O juiz Wargrave voltou a sua atenção para mr. Blore. Afagou com o dedo indicador o lábio superior e falou num tom perigosamente polido:

— Acabamos de passar por uma experiência um tanto quanto perturbadora. Uma voz aparentemente desencarnada dirigiu-se a cada um de nós pelo nome, proferindo certas acusações precisas contra todos nós. Daqui a pouco trataremos dessas acusações. No momento, estou interessado num pequeno detalhe. Entre os nomes citados estava o de William Henry Blore. Mas, até onde sabemos, não há entre nós ninguém chamado Blore. O nome Davis *não* foi mencionado. O que tem a dizer sobre isso, mr. Davis?

Amuado, Blore respondeu:

— Parece que meu segredo foi descoberto. Acho que é melhor admitir que meu nome não é Davis.

— O senhor é William Henry Blore?

— Isso mesmo.

— Quero acrescentar uma coisa — disse Lombard. — Mr. Blore não só está aqui sob um nome falso, mas, se isso não bastasse, notei esta noite que é um mentiroso de primeira. O senhor afirma ter vindo de Natal, na África do Sul. Conheço a África do Sul e Natal, e estou disposto a jurar que nunca em sua vida o senhor pôs os pés naquele país.

Todos os olhos se voltaram para Blore. Olhos furiosos e desconfiados. Anthony Marston avançou um passo na direção dele, de punhos cerrados.

— E agora, seu canalha? Tem alguma explicação?

Blore atirou a cabeça para trás, deixando à mostra o queixo quadrado.

— Os senhores estão enganados a meu respeito. Tenho aqui as minhas credenciais, como podem ver. Sou ex-funcionário do Departamento de Investigação Criminal da Scotland Yard. Tenho uma agência de investigações em Plymouth e fui contratado para este trabalho.

— Por quem? — perguntou o juiz Wargrave.

— Por esse tal Owen. Ele me enviou um vale-postal com uma generosa soma em dinheiro para as despesas e deu-me instruções sobre o que desejava que eu fizesse. Eu devia juntar-me ao grupo de convidados, disfarçado como um dos hóspedes. Recebi o nome de todos os senhores e fui incumbido de vigiá-los.

— Ele deu alguma razão para isso?

Blore respondeu em tom amargo:

— As joias de mrs. Owen! Que mrs. Owen, que nada! Nem acredito que ela exista.

Novamente o indicador do juiz afagou o lábio, dessa vez de maneira apreciativa.

— Suas conclusões, creio, são justificadas — disse ele.

— Ulick Norman Owen! Na carta enviada à miss Brent, embora a assinatura do sobrenome seja um simples rabisco, os nomes de batismo estão razoavelmente claros — Una Nancy; em todo caso, notem que as iniciais são sempre as mesmas. Ulick Norman Owen — Una Nancy Owen... ou seja, sempre U. N. Owen. Ou, com um pouco de imaginação, UNKNOWN, isto é, DESCONHECIDO!

Vera soltou um gritinho de espanto:

— Mas isso é uma coisa fantástica... maluca!

Com movimentos suaves da cabeça, o juiz concordou, e por fim disse:

— Oh, sim. Não tenho a menor dúvida de que fomos convidados a esta casa por um louco... provavelmente um homicida lunático e perigoso.

1

HOUVE UM MOMENTO DE SILÊNCIO — um silêncio pétreo, de consternação e espanto. Depois, a voz miúda e clara do juiz assumiu o comando mais uma vez:

— Passaremos agora à etapa seguinte da nossa investigação. Porém, primeiro quero acrescentar à lista as minhas próprias credenciais.

Tirou do bolso uma carta e jogou-a sobre a mesa.

— Isto pretende se passar por uma correspondência de uma velha amiga minha, lady Constance Culmington. Faz alguns anos que não a vejo. Ela foi para o Oriente. É exatamente o mesmo tipo de carta vaga e incoerente que ela costuma escrever, insistindo para que eu viesse encontrar-me com ela aqui e referindo-se ao casal de anfitriões nos termos mais vagos. É a mesma técnica, como podem observar. Só menciono esse fato porque está de acordo com as outras evidências — tudo somado, surge um ponto interessante. *Quem quer que tenha nos atraído para cá conhece ou se deu o trabalho de averiguar minuciosamente bastante coisa a respeito de nós todos.* Ele, seja quem for, sabe da minha amizade com lady Constance — e conhece muito bem o estilo epistolar dela. Sabe alguma coisa sobre os colegas do doutor Armstrong, incluindo o atual paradeiro deles. Sabe o apelido do amigo de mr. Marston e o tipo de telegrama que ele costuma enviar. Sabe exatamente onde miss Brent passou as férias há dois anos e o tipo de gente que ela encontrou lá. Sabe tudo sobre os velhos amigos íntimos do general Macarthur.

Depois de fazer uma pausa, o juiz disse:

— *Ele sabe, como veem, bastante coisa.* E, com base nesse conhecimento, fez certas acusações muito definidas.

Imediatamente, todos começaram a falar ao mesmo tempo, numa algazarra de vozes.

O general Macarthur berrou:

— Um monte de malditas mentiras! Calúnias!

Vera gritou:

— É iníquo! — Estava arfante. — Perverso!

Com voz rouca, Rogers disse:

— Uma mentira — uma mentira perniciosa... nós nunca fizemos... nenhum de nós.

Anthony Marston rosnou:

— Não sei qual era a intenção desse maldito cretino!

A mão erguida do juiz Wargrave acalmou a balbúrdia.

Enquanto falava, ia escolhendo cuidadosamente as palavras:

— Quero dizer uma coisa. Nosso amigo desconhecido acusa-me do assassinato de um tal Edward Seton. Lembro-me de Seton perfeitamente bem. Ele foi trazido ao meu tribunal para ser julgado em junho de 1930, sob a acusação de ter assassinado uma senhora idosa. Contou com uma defesa muito boa, e seu desempenho causou boa impressão no júri no banco das testemunhas. Contudo, as provas mostravam claramente que ele era culpado. Meu sumário de culpa foi feito de acordo com as evidências, e os jurados o declararam culpado. Concordei com o veredito e decidi-me pela sentença de morte. A defesa recorreu, apresentando apelação sob a alegação de má orientação e conduta imprópria no julgamento. O recurso foi negado e o homem foi devidamente executado. Quero declarar diante de todos os presentes que tenho a consciência absolutamente tranquila a respeito desse caso. Cumpri meu dever e nada mais. Julguei e sentenciei um homicida corretamente condenado.

Agora Armstrong estava se lembrando. O caso Seton! O veredito fora uma grande surpresa. Na época do julgamento, jantando certa noite num restaurante, encontrara Matthews, consultor da Coroa. Matthews estava confiante. "Não há dúvidas quanto ao veredito. A absolvição é praticamente certa." Depois, Armstrong ouvira comentários: "O juiz estava inteiramente contra ele. Fez a cabeça dos jurados e o réu foi condenado. Mas tudo perfeitamente dentro da lei. O velho Wargrave conhece a lei". Era quase como se o juiz tivesse ódio pessoal contra o sujeito.

Todas essas recordações passaram como um raio pela mente do médico. Antes que pudesse considerar o bom senso da pergunta, indagou impulsivamente:

— O senhor chegou a conhecer minimamente Seton? Antes do processo, quero dizer.

Os olhos de réptil do magistrado se encontraram com os do médico. Numa voz clara e glacial, respondeu:

— Eu nada sabia de Seton antes do caso.

Armstrong disse para si mesmo:

— Esse sujeito está mentindo... sei que está mentindo.

2

COM VOZ TRÊMULA, Vera Claythorne falou:

— Eu gostaria de contar a todos a respeito dessa criança — Cyril Hamilton. Eu era sua governanta. O menino estava proibido de nadar até muito longe. Um dia, quando me distraí, ele se afastou. Nadei atrás dele... Não pude chegar a tempo... Foi horrível... Mas não foi minha culpa. No inquérito, o juiz isentou-me de qualquer responsabilidade. E a mãe do menino... foi tão bondosa! Se nem mesmo ela me culpou, por que... por que agora alguém tem de dizer essas palavras terríveis? Não é justo... não é justo...

Ela não conseguia mais falar, e desandou a chorar amargamente.

O general Macarthur tentou consolá-la, dando-lhe palmadinhas no ombro, dizendo:

— Tudo bem, tudo bem, minha querida. É claro que não é verdade. O sujeito é um louco. Um demente! Está com uma ideia fixa! Tem um parafuso a menos, está todo atrapalhado, metendo os pés pelas mãos.

Depois de empertigar-se e endireitar os ombros, o general vociferou:

— O melhor a fazer é deixar esse tipo de coisa sem resposta nenhuma. Entretanto, sinto que devo dizer... não há nada de verdade... não há um pingo de verdade no que ele disse... hã... sobre o jovem Arthur Richmond. Richmond era um dos meus oficiais. Enviei-o numa missão de reconhecimento. Ele foi morto. Coisa natural em tempos de guerra. Quero dizer que estou muito ofendido... insulto à honra de minha esposa. A melhor mulher do mundo. Absolutamente. A esposa de César!

O general Macarthur sentou-se. A mão trêmula cofiava o bigode. Fizera um tremendo esforço para falar.

Foi a vez de Lombard tomar a palavra. Pela expressão zombeteira dos olhos, era como se estivesse se divertindo:

— A respeito daqueles nativos...

— Sim, o que tem a dizer sobre eles? — perguntou Marston.

Philip Lombard abriu um sorrisinho malicioso:

— A história é totalmente verdadeira. Eu os abandonei! Questão de autopreservação. Estávamos perdidos no mato. Eu e mais dois outros sujeitos pegamos toda a comida que havia e demos no pé.

O general Macarthur intrometeu-se, severamente:

— O senhor abandonou os seus homens à própria sorte... deixou-os morrer de fome?

— Receio que não tenha sido um gesto muito *pukka sahib.** Mas a autopreservação é a primeira obrigação de um homem. E, como os senhores sabem, os nativos não se importam de morrer. Eles não encaram essa questão do mesmo jeito que os europeus.

Vera retirou as mãos do rosto e, encarando-o, disse:

— O senhor deixou que eles... morressem?

Lombard respondeu:

— Deixei que morressem.

Seus olhos maliciosos fitavam os olhos horrorizados dela.

Numa voz lenta e intrigada, Anthony Marston disse:

— Estive pensando ainda agora... John e Lucy Combes. Deve ser um casal de crianças que atropelei, perto de Cambridge. Um azar danado.

O juiz Wargrave observou, acidamente:

— Deles ou do senhor?

Anthony disse:

— Bem, eu estava pensando... meu, mas o senhor tem razão, é claro, foi muito azar deles. Foi um acidente, obviamente. Os dois saíram correndo de um

---

* A expressão *pukka sahib*, tomada do híndi, passou a ser usada pelos ingleses, desde os tempos do Império, com os significados: "de primeira classe", "absolutamente genuíno", "verdadeiro cavalheiro", "sujeito excelente". Hoje usa-se apenas a palavra *pukka*. [N.T.]

chalé qualquer. Minha carteira de habilitação ficou suspensa durante um ano. Um incômodo abominável.

Colérico, o doutor Armstrong comentou:

— Essa mania de dirigir correndo é errada, completamente errada! Rapazes como o senhor são um perigo para a comunidade.

Anthony deu de ombros e disse:

— A velocidade veio para ficar. As estradas inglesas são um horror, é claro. Não se consegue andar num ritmo decente.

Olhou vagamente ao redor de si, procurando seu copo; pegou-o sobre uma mesa, serviu-se de mais uma dose de uísque e soda e arrematou, sem sequer se virar:

— Bem, de qualquer modo, a culpa não foi minha. Foi só um acidente!

3

O CRIADO, ROGERS, FICARA O tempo todo umedecendo os lábios e torcendo as mãos. Numa voz baixa e respeitosa, perguntou:

— Posso dizer uma palavra, senhor?

— Vá em frente, Rogers — autorizou Lombard.

Rogers limpou a garganta e passou mais uma vez a língua pelos lábios secos.

— Senhor, houve menção a mim e à mrs. Rogers. E à miss Brady. Não há nisso tudo uma só palavra de verdade, senhor. Minha mulher e eu estivemos com miss Brady até sua morte. Era uma senhora de saúde muito frágil, senhor, sempre esteve doente, desde que começamos a trabalhar na casa dela. Houve uma tempestade, senhor, aquela noite — na noite em que ela piorou de vez. O telefone estava mudo. Não podíamos chamar o médico. Fui buscá-lo, senhor, a pé. Mas, quando o doutor chegou lá, era tarde demais. Tínhamos feito tudo o que era possível por ela, senhor. Éramos devotados a ela, isso sim. Qualquer pessoa vai dizer o mesmo. Ninguém nunca disse uma palavra contra nós. Nenhuma palavra.

Lombard mirou direta e pensativamente o rosto do homem, que se contraía em tiques nervosos; fitou seus lábios secos, o pavor estampado em seus olhos. Lembrou-se da bandeja de café estatelando-se no chão e pensou, mas sem dizer: "Ah! É mesmo?".

Então Blore falou — falou no tom ao mesmo tempo amigável e intimidador típico de sua profissão:

— Mas receberam o seu pé-de-meia com a morte dela, não foi?

Rogers empertigou-se e respondeu rijamente:

— Miss Brady nos deixou um legado em reconhecimento aos nossos fiéis serviços. E por que não, pergunto eu?

Lombard disse:

— E quanto ao senhor, Blore?

— O quê?

— O seu nome estava incluído na lista.

O rosto de Blore afogueou-se.

— Landor, o senhor quer dizer? Isso foi quando assaltaram o banco... o Banco Comercial de Londres.

O juiz Wargrave se remexeu:

— Eu me lembro. O caso não caiu em minhas mãos, mas eu me lembro. Landor foi condenado por causa do depoimento do senhor. O senhor foi o policial encarregado das investigações?

Blore foi seco na resposta:

— Fui.

— Landor foi condenado à pena de trabalhos forçados perpétuos e morreu em Dartmoor, um ano mais tarde. Era um homem delicado.

Blore disse:

— Era um patife. Foi ele que apagou o vigia noturno. As provas contra ele eram bem claras.

Wargrave falou com voz pausada:

— O senhor foi elogiado, creio, pela habilidade e competência com que cuidou do caso.

Uma expressão carrancuda perpassou o rosto de Blore:

— Consegui uma promoção.

E acrescentou, numa voz indistinta:

— Estava apenas cumprindo o meu dever.

Lombard riu — uma gargalhada repentina, grandiloquente. E disse:

— Pelo visto, somos todos cumpridores do dever e paladinos da lei! Com exceção de mim. E quanto ao senhor, doutor... com o seu pequeno equívoco profissional? Operação ilegal, não é?

Emily Brent encarou-o com visível e veemente aversão, e chegou a afastar-se um pouco dele.

O doutor Armstrong, muito seguro de si, balançou a cabeça, num gesto bem-humorado.

— Estou meio perdido, não consigo entender o que está em jogo aqui — disse ele. — O nome mencionado nada significou para mim. Como era mesmo... Clees? Close? Realmente não me lembro de ter tido um paciente com esse nome ou de ter alguma relação com a morte de alguém. A coisa toda é um mistério completo para mim. Obviamente, já faz muito tempo. Pode ter sido uma de minhas cirurgias no hospital. Muita gente só chega às mãos do médico quando já é tarde demais. E depois, quando o paciente morre, sempre jogam a culpa no cirurgião.

E suspirou, balançando a cabeça.

Em seu íntimo, pensava:

"Bêbado... isso sim... bêbado... E operei! Os nervos em frangalhos... as mãos tremendo. Eu a matei, sem a menor dúvida. Pobre-diabo... uma mulher de idade... um procedimento simples, se eu estivesse sóbrio. A minha sorte foi haver lealdade na nossa profissão. A Irmã sabia, é claro, mas calou a boca. Deus, foi um choque para mim! Que me fez parar e emendar-me. Mas quem poderia saber disso, depois de todos esses anos?"

4

O SILÊNCIO DOMINOU A SALA. Todos olhavam, direta ou secretamente, para Emily Brent. Passaram-se um ou dois minutos antes que ela se desse conta da expectativa. Suas sobrancelhas se arquearam e se ergueram pela testa estreita.

— Estão esperando que eu diga alguma coisa? Não tenho nada a dizer.

O juiz insistiu:

— Nada, miss Brent?

— Nada.

E comprimiu os lábios com força, numa visível expressão de desagrado.

O juiz acariciou o rosto e disse em tom brando:

— A senhorita reserva para mais tarde a sua defesa?

Brent respondeu com frieza:

— Está fora de cogitação defender-me. Não faz sentido. Sempre agi de acordo com as determinações da minha consciência. Nada tenho a reprovar na minha conduta.

Uma sensação de insatisfação pairava no ar. Mas Emily Brent não era pessoa que se deixasse influenciar pela opinião pública. Alheia ao que os outros pensavam, permaneceu irredutível.

O juiz pigarreou uma ou duas vezes. Em seguida, falou:

— Nosso inquérito acaba aqui. Agora, Rogers, quem mais se encontra nesta ilha, além de nós, sua esposa e você?

— Ninguém, senhor. Absolutamente ninguém.

— Tem certeza disso?

— Certeza absoluta, senhor.

Wargrave continuou:

— Ainda não tenho uma ideia clara sobre o propósito de nosso desconhecido anfitrião em nos reunir aqui. Mas suponho que essa pessoa, seja ela quem for, não é sã do juízo, na acepção comum e aceita da palavra. Talvez seja perigosa. Na minha opinião, creio que seria bom deixarmos este lugar o mais depressa possível. Sugiro que voltemos ainda hoje.

Rogers informou:

— Desculpe-me, senhor, mas não há nenhum barco na ilha.

— Nenhum barco?

— Não, senhor.

— Mas então como é que você se comunica com a terra firme?

— Fred Narracott. Ele vem todas as manhãs, senhor. Ele traz o pão, o leite e a correspondência, e recebe ordens.

O juiz Wargrave disse:

— Assim sendo, na minha opinião, seria bom partirmos todos amanhã pela manhã, tão logo chegue a lancha de Narracott.

Houve um coro de vozes favoráveis, e apenas uma contrária. Era Anthony Marston que discordava da maioria.

— Para mim isso parece falta de espírito esportivo, não? Além de ser pouco cavalheiresco. Antes de irmos embora, devemos primeiro desvendar o mistério. Esse troço é como uma história de detetive. Definitivamente sensacional e emocionante.

O juiz respondeu acidamente:

— Na minha idade, não tenho o menor interesse por "sensações" e "emoções", como diz o senhor.

Sorrindo, Anthony falou:

— A vida dentro da lei é muito estreita e limitada! Sou totalmente a favor do crime! Um brinde à vida criminosa!

Pegou seu copo e bebeu tudo de um só trago.

Bebeu rápido demais, talvez. Engasgou-se, engasgou-se seriamente. Seu rosto contorceu-se, ficou roxo. Ofegante, ele tentou desesperadamente respirar, depois deslizou pela cadeira, deixando cair o copo das mãos.

1

ACONTECEU DE MANEIRA TÃO SÚBITA e inesperada que todos ficaram estarrecidos, olhando estupidamente para o corpo estatelado no chão.

Até que, sem perder mais um instante, o doutor Armstrong levantou-se de um salto e aproximou-se da figura caída. Quando o médico levantou a cabeça, perplexo, seus olhos tinham uma expressão de espanto e confusão.

Só conseguiu falar a custo, num murmúrio quase inaudível e cheio de pavor.

— Meu Deus! Ele está morto!

Os outros não compreenderam. Pelo menos não de imediato.

Morto? *Morto?* Aquele jovem deus nórdico, no auge da saúde e da força. Fulminado num só instante. Rapazes saudáveis não morriam assim, engasgando-se com uma dose de uísque e soda...

Não, não conseguiam entender.

O doutor Armstrong perscrutava o rosto do morto. Farejou os lábios roxos e contorcidos. Depois pegou o copo em que Marston bebera.

Atônito, o general Macarthur perguntou:

— Morto: quer dizer que o sujeito simplesmente se engasgou e... caiu morto?

O médico respondeu:

— Pode chamar isso de engasgamento ou sufocação, se quiser. Ele morreu de asfixia, não resta a menor dúvida.

Agora estava cheirando o copo. Molhou o dedo na borra do fundo e, com muita cautela, encostou de leve o dedo na ponta da língua.

A expressão do seu rosto alterou-se.

O general Macarthur disse:

— Nunca ouvi dizer que um homem pudesse morrer desse jeito, com um simples ataque de engasgo!

Emily Brent enunciou com uma voz clara:

— Em meio à vida já a morte nos envolve.*

O doutor Armstrong ergueu-se e falou bruscamente:

— Não, um homem não morre de simples engasgamento. A morte de Marston não foi o que chamamos de natural.

Quase sussurrando, Vera perguntou:

— Havia... alguma coisa... no uísque?

Armstrong concordou com a cabeça.

— Havia sim. Não sei dizer exatamente o que é. Tudo indica que seja um dos cianuretos. Não há cheiro característico do ácido prússico ou cianídrico. Provavelmente cianureto de potássio. Age quase que instantaneamente.

O juiz perguntou ríspido:

— Estava no copo dele?

— Sim.

O médico caminhou a passos largos até a mesa onde estavam as bebidas. Tirou a tampa da garrafa de uísque, cheirou-a e provou-a. Depois provou a soda. Balançou a cabeça.

— Não têm nada.

Lombard disse:

— Quer dizer então que... *ele mesmo* deve ter colocado a coisa no próprio copo?

Armstrong meneou a cabeça de maneira afirmativa, com uma expressão curiosamente insatisfeita:

— Parece que sim.

Blore disse:

— Suicídio, hein? Isso é esquisito.

Vera falou bem devagar:

---

* A personagem faz referência à expressão latina (e que dá nome a um canto gregoriano) *"Media vita in morte sumus"*. [N.T.]

— Ninguém pensaria que ele quisesse se matar. Tinha tanta vida! Estava... oh... se divertindo! Quando desceu de carro a colina esta tarde, parecia... parecia... oh, não consigo *explicar*!

Mas eles sabiam o que ela queria dizer. Anthony Marston, no auge do vigor da juventude e virilidade, parecera um ser imortal. E agora estava ali, amontoado e quebrado, estatelado no chão.

O doutor Armstrong perguntou:

— Existe alguma outra possibilidade além do suicídio?

Lentamente, todos balançaram a cabeça. Não podia haver outra explicação. As bebidas não tinham sido adulteradas. Todos tinham visto Anthony Marston andar até a mesa e servir-se ele mesmo de uísque. Portanto, se havia cianureto na bebida, devia ter sido posto no copo pelo próprio Anthony.

E, contudo, por que Anthony Marston cometeria suicídio?

Com ar pensativo, Blore disse:

— Sabe, doutor, isso não me parece certo. Eu não diria que mr. Marston fosse um cavalheiro do tipo suicida.

— Concordo — respondeu Armstrong.

2

A COISA FICOU COMO ESTAVA. O que mais havia a dizer?

Juntos, Armstrong e Lombard tinham carregado o corpo inerte de Anthony Marston para o seu quarto; deitaram-no e cobriram o cadáver com um lençol.

Quando desceram, os outros estavam reunidos em grupo, um tanto trêmulos e arrepiados, embora a noite não estivesse fria.

Emily Brent propôs:

— É melhor irmos para a cama. Já está tarde.

Já passava da meia-noite. A sugestão era sensata; mesmo assim, todos hesitaram. Era como se, em busca de segurança, se agarrassem uns à companhia dos outros.

O juiz sugeriu:

— Sim, devemos dormir um pouco.

Rogers falou:

— Ainda não tirei a mesa, senhor... da sala de jantar.

Lombard foi lacônico:

— De manhã você faz isso.

Armstrong perguntou ao criado:

— Sua mulher está bem?

— Vou ver, senhor.

Saiu e voltou um ou dois minutos depois.

— Dormindo como a Bela Adormecida.

— Ótimo — disse o médico. — Não a perturbe.

— Não, senhor, pode deixar. Só vou dar uma arrumada nas coisas na sala de jantar e ver se tudo está bem trancado, depois vou me deitar.

Rogers atravessou o salão e entrou na sala de jantar.

Os outros subiram a escada, numa vagarosa e relutante procissão. Se estivessem numa casa antiga, com o madeiramento rangendo, sombras escuras, paredes revestidas de pesados lambris, talvez se pudesse dizer que o ambiente era lúgubre. Mas a casa era a essência da modernidade. Não havia recantos sombrios nem painéis corrediços; o espaço era inundado de luz elétrica — tudo era novo, limpo e brilhante. Não havia nada escondido naquela casa, nada oculto. Não havia nada ali que lembrasse remotamente uma atmosfera sinistra.

De certa maneira, isso era o mais assustador de tudo...

No topo da escada, os hóspedes trocaram cumprimentos de boa-noite. Cada um se dirigiu para o próprio quarto, e todos, maquinalmente, quase sem ter consciência disso, trancaram as portas à chave...

3

NO SEU QUARTO AGRADÁVEL, pintado em tons suaves, o juiz Wargrave tirou a roupa e preparou-se para deitar.

Estava pensando em Edward Seton.

Lembrava-se de Seton muito bem. O cabelo louro, os olhos azuis, o hábito de olhar as pessoas de frente, com um cativante ar de franqueza. Graças a essa aparente sinceridade, causara boa impressão nos jurados.

O trabalho de Llewellyn, o promotor designado pela Coroa, fora malfeito. Sua fala havia sido exageradamente fervorosa, ele tentara provar demais.

Por outro lado, a atuação de Matthews, o advogado de defesa, fora muito boa. Ele demonstrou cabalmente seus argumentos, e seus pontos de vista foram convincentes. Seus interrogatórios tinham sido letais. A maneira com que questionou seu cliente no banco das testemunhas fora magistral.

E Seton saíra-se muito bem na provação do interrogatório. Em nenhum momento se exaltou ou ficou excessivamente veemente. O júri ficara impressionado. Talvez Matthews tenha pensado que a situação já estava decidida a seu favor.

Cuidadosamente, o juiz deu corda ao relógio e colocou-o à cabeceira da cama.

Lembrava-se exatamente da sensação de estar sentado lá, presidindo o tribunal, ouvindo, tomando notas, avaliando tudo, organizando cada vestígio, cada fiapo de provas contra o réu.

Havia gostado muito daquele caso! O discurso final de Matthews fora de primeira classe. Llewellyn falou depois, mas fracassou na tentativa de desfazer a boa impressão causada pelo advogado da defesa.

E então veio o sumário de culpa do juiz...

Cuidadosamente, o juiz Wargrave retirou a sua dentadura e colocou-a num copo com água. Os lábios enrugados desabaram boca adentro. Era agora uma boca cruel e voraz — uma boca de predador.

Fechando os olhos, o juiz sorriu para si mesmo.

Tinha arruinado direitinho os planos de Seton! Acabara com a vida dele!

Com um resmungo ligeiramente reumático, subiu para a cama e apagou a luz.

4

LÁ EMBAIXO, NA SALA DE JANTAR, Rogers estava de pé, intrigado.
Fitava com atenção as figurinhas de porcelana no centro da mesa. Murmurou para si mesmo:
— Que coisa esquisita! Eu podia jurar que eram dez.

5

O GENERAL MACARTHUR ESTAVA INQUIETO, revirando-se de um lado para o outro na cama. Não achava uma posição cômoda o bastante para manter-se imóvel.

Não conseguia pegar no sono.

Mesmo na escuridão, continuava vendo o rosto de Arthur Richmond.

Tinha gostado muito de Arthur — mas que inferno, tinha enorme afeição por Arthur! E ficava satisfeito de ver que Leslie também simpatizava com ele.

Leslie era tão caprichosa. Para quantos e quantos bons sujeitos ela havia torcido o nariz, achando todos chatos, sem graça! "Sem graça!" Assim, com essas palavras.

Mas não achava Arthur Richmond sem graça. Desde o começo os dois haviam se dado muito bem. Conversavam sobre teatro, música e pintura. Leslie o provocava, espicaçava-o, fazia-o de bobo, atormentava-o. E Macarthur ficava encantado com a ideia de que a esposa tinha um interesse perfeitamente maternal pelo rapaz.

Bastante maternal, de fato! Como fui tolo de não me lembrar que Richmond tinha vinte e oito anos, e Leslie, vinte e nove.

Ele amara Leslie. Ainda agora parecia vê-la, seu rosto em forma de coração, os olhos dançantes, de uma cor cinza e profunda, e a vasta cabeleira crespa e castanha. Amara Leslie e nela confiava plenamente.

Lá na França, em meio a toda aquela situação infernal, sentava-se e pensava nela, tirava a fotografia do bolso superior da túnica.

E um dia descobriu!

Acontecera exatamente como esse tipo de coisa acontece nos livros. A carta no envelope errado. Ela escrevera para os dois e colocara a carta de

Richmond no envelope endereçado ao marido. Mesmo agora, tantos anos depois, ele ainda podia sentir o choque... a dor...

Deus, como aquilo doera!

E o caso já vinha sendo mantido havia algum tempo. A carta deixava isso bem claro. Fins de semana! A última licença de Richmond...

Leslie — Leslie e Arthur!

Maldito sujeito! Maldita carinha sorridente, o seu caloroso e solícito "Sim, senhor". Mentiroso e hipócrita! Ladrão da mulher dos outros!

Aquele ódio assassino fora se acumulando lentamente.

Ele conseguira comportar-se como sempre, e nada transpareceu em suas ações e palavras. Tentou manter com Richmond a mesma atitude habitual.

E tivera êxito? Acreditava que sim. Richmond não suspeitara de nada. Na guerra, os nervos dos homens estavam continuamente a ponto de explodir sob a tensão permanente, e as oscilações de humor eram facilmente explicadas.

Em uma ou duas ocasiões, o jovem Armitage olhara para ele com uma expressão curiosa. Um menino ainda, mas era muito perspicaz o rapaz.

Talvez Armitage tivesse adivinhado quando chegou a hora.

Ele, Macarthur, enviara Richmond deliberadamente para a morte. Só um milagre poderia tê-lo trazido de volta ileso. Mas esse milagre não aconteceu. Sim, enviara Richmond para a morte e não se arrependia disso. Tinha sido bastante fácil. Erros eram cometidos o tempo todo, oficiais eram desnecessariamente mandados para a morte, em missões suicidas. Tudo ali era um pandemônio, confusão e pânico. Depois as pessoas poderiam dizer: "O velho Macarthur apavorou-se um pouco, cometeu alguns erros colossais, sacrificou alguns de seus melhores homens". Mais que isso ninguém poderia dizer.

Mas o jovem Armitage era diferente. Havia olhado para o seu comandante de modo bem estranho. Talvez soubesse que Richmond estava sendo deliberadamente mandado para a morte.

(E, depois que a guerra terminou, será que Armitage havia falado?)

Leslie não soubera de nada. O general supunha que ela havia chorado a morte do amante, mas seu pranto chegou ao fim quando o marido voltou para a Inglaterra. O general nunca disse a ela que tinha descoberto tudo.

Continuaram juntos, mas, em certo sentido, ela já não dava a impressão de estar viva. E, três ou quatro anos depois, teve pneumonia dupla e morreu.

Isso tinha acontecido muito tempo atrás. Quinze anos, dezesseis anos?

E ele deixara o Exército e viera morar em Devon — comprara o tipo de casinha simples que sempre desejara ter. Bons vizinhos... uma parte agradável do mundo. Havia animais para caçar e peixes para pescar. Ia à igreja aos domingos. (Mas não no dia em que era lido o texto sobre a ocasião em que Davi ordena que Urias seja enviado à linha de frente de batalha para morrer.* Por algum motivo, não podia ouvir essa passagem, pois causava nele desconforto e uma sensação de mal-estar.)

Todos haviam se mostrado muito amigos. Pelo menos no início. Mais tarde, ele começou a ser assolado pela inquietante suspeita de que as pessoas falavam dele pelas costas. Olhavam-no de um jeito diferente. Como se tivessem ouvido alguma coisa, algum boato mentiroso.

(Armitage? Será que Armitage tinha falado?)

Depois disso ele começou a evitar as pessoas — retraiu-se, ensimesmou-se. É desagradável sentir-se alvo de comentários e fofocas.

E tudo isso havia acontecido tanto tempo atrás! Tão... tão sem sentido, tão fora de propósito agora! Leslie havia desaparecido na distância, desvanecera no passado; Arthur Richmond também. Nada do que acontecera parecia ter importância agora.

Entretanto, por causa disso, sua vida era solitária. Ele havia se afastado do convívio de seus velhos amigos do Exército.

(Se Armitage falara, eles deviam saber de tudo.)

E agora — nesta noite — uma voz misteriosa proclamara com alarde o seu segredo tão cuidadosamente escondido.

---

* A passagem em questão está no Antigo Testamento, II Sam 11,1-27. Davi se interessa por Betsabé, filha de Elião e mulher de Urias, o hiteu; dorme com ela e a engravida. Para livrar-se de Urias e desposá-la, escreve uma carta a seu chefe militar, Joab, ordenando que Urias fosse colocado na frente do exército, próximo das muralhas da cidade sitiada, onde "o combate era mais renhido" e onde poderia ser alvo dos projéteis atirados dos muros. De fato, Urias morre e Davi fica com a viúva. [N.T.]

Teria enfrentado a situação como devia? Agira com firmeza e altivez? Sua reação teria denunciado os sentimentos certos — indignação, nojo —, porém nenhum traço de culpa, nenhum transtorno? Difícil dizer.

Seguramente, ninguém podia ter levado a sério a acusação. Junto com ela foi proferida uma avalanche de outras bobagens, igualmente forçadas e absurdas. Aquela moça encantadora — a voz a acusara de ter afogado uma criança! Idiotice! Coisa de algum maluco lançando calúnias a esmo!

Emily Brent também — na verdade, sobrinha do velho Tom Brent, do Regimento. A voz a culpara de assassinato! Qualquer pessoa podia ver, de olhos fechados, que a mulher era uma religiosa e tanto, como uma beata — do tipo que é unha e carne com os vigários.

Maldito negócio esquisito! Uma maluquice, nada mais, nada menos que uma maluquice.

Desde que haviam chegado ali — quando fora isso? Ora, que maldição, tinha sido naquela mesma tarde! Parecia ter sido há muito mais tempo.

Pensou com seus botões: "Fico me perguntando quando é que conseguiremos ir embora daqui".

Amanhã, é claro, quando a lancha vier de terra firme.

Engraçado, mas precisamente nesse instante ele não sentia grande vontade de sair da ilha... Voltar para a terra firme, voltar para a sua casinha, para encarar novamente todos os seus problemas, preocupações e ansiedades. Pela janela aberta podia ouvir as ondas batendo nos rochedos — agora o som era um pouco mais alto do que no início da noite. O vento também começava a soprar mais forte.

Pensou: "Som sereno. Lugar tranquilo".

E pensou também: "A melhor coisa de uma ilha é que, uma vez nela, não se pode ir mais longe... é o fim das coisas".

Subitamente, o general compreendeu que não queria mais ir embora da ilha.

6

DEITADA NA CAMA, Vera Claythorne estava de olhos bem abertos, mirando o teto.

A luz da mesa de cabeceira estava acesa. Ela tinha medo do escuro.

Pensava:

"Hugo... Hugo... Por que sinto você tão perto de mim esta noite?... Em algum lugar bem perto...

"Mas onde ele estará de verdade? Não sei. Nunca saberei. Ele simplesmente foi embora... para longe... sumiu da minha vida".

Não adiantava nada tentar não pensar em Hugo. Ele estava ali, junto dela. Ela tinha de pensar nele, tinha de lembrar...

A Cornualha...

Os rochedos escuros, a areia amarela e macia. Mrs. Hamilton, corpulenta, bem-humorada. Cyril, sempre choramingando um pouco, puxando sua mão.

— *Eu quero nadar até o rochedo, miss Claythorne. Por que não posso nadar até o rochedo?*

Ela olhava para cima; encontrava os olhos de Hugo a observá-la.

As noites, depois de pôr Cyril na cama...

— *Vamos sair para dar um passeio, miss Claythorne.*

— *Acho que vou, sim.*

A decorosa caminhada pela praia. O luar... o suave ar do Atlântico.

E depois, os braços de Hugo, que a envolviam.

— *Eu amo você. Eu amo você. Você sabe que eu amo você, Vera?*

Sim, ela sabia.

(Ou achava que sabia.)

— *Não posso pedir você em casamento. Não tenho um centavo. Mal posso me manter. É engraçado, sabe, que uma vez, no espaço de três meses, tive a chance de ficar rico. Cyril só nasceu três meses depois que Maurice morreu. Se tivesse nascido uma menina...*

Se a criança fosse uma menina, Hugo teria herdado tudo. Tinha ficado decepcionado, admitia.

— *Eu não tinha depositado muita esperança nisso, claro. Mas fiquei um pouco abalado. Bom, mas sorte é sorte! Cyril é um menino ótimo. Sou completamente doido por ele.* — E o menino também gostava dele. Ele estava sempre pronto para participar dos jogos e brincadeiras ou divertir o seu pequeno sobrinho. Na natureza de Hugo não havia lugar para o rancor.

A bem da verdade, a saúde de Cyril não era muito boa. Um menino frágil, sem vigor. O tipo de criança que talvez não chegasse a crescer.

E então...?

— *Miss Claythorne, por que não posso nadar até o rochedo?*

Mas que insistência irritante, que choradeira repetitiva.

— *É longe demais, Cyril.*

— *Mas, miss Claythorne...*

Vera levantou-se. Foi até a penteadeira e engoliu três aspirinas.

E pensou:

— Gostaria de ter algum bom remédio para dormir, um sonífero de verdade.

Depois pensou:

— Se eu fosse acabar com minha própria vida, tomaria uma overdose de comprimidos de veronal, ou algo do tipo, e não cianureto!

Ao lembrar-se do rosto arroxeado e convulso de Anthony Marston, teve um arrepio.

Ao passar diante da cornija da lareira, olhou para aquele péssimo poemeto emoldurado.

Dez soldadinhos saem para jantar, a fome os move;
Um deles se engasgou, e então sobraram nove.

Pensou:

— É horrível... *exatamente como nós aqui esta noite...*

Por que motivo Anthony Marston desejara morrer?

Ela não queria morrer.

Não podia conceber a ideia de querer morrer...

A morte era... para as outras pessoas...

1

O DOUTOR ARMSTRONG ESTAVA SONHANDO...

Fazia muito calor na sala de cirurgia...

Com certeza tinham elevado demais a temperatura. O suor escorria pelo seu rosto. Suas mãos estavam úmidas e pegajosas. Era difícil segurar com firmeza o bisturi...

A lâmina estava magnificamente afiada...

Fácil cometer um assassinato com uma faca pontuda e cortante daquelas. E, obviamente, ele estava cometendo um assassinato...

O corpo da mulher parecia diferente. Antes era um corpo enorme e volumoso. Agora era magro, minguado. E o rosto estava coberto.

Quem era a pessoa que ele devia matar?

Não conseguia lembrar-se. Mas *tinha de* saber! Devia perguntar à freira?

A Irmã assistia a tudo, com os olhos postos nele. Não, não podia perguntar a ela. Ela estava desconfiada, sua suspeita era evidente.

Mas quem é que estava na mesa de cirurgia?

Não deviam ter coberto o rosto daquela maneira...

Se ele pelo menos pudesse ver o rosto...

Ah! Assim estava bem melhor. Um jovem interno estava tirando o lenço.

Emily Brent, claro. Era Emily Brent quem ele tinha de matar. Que olhos malignos ela tinha! Os lábios dela estavam se movendo. O que estava dizendo?

— Em meio à vida já a morte nos envolve.

Agora ela dava gargalhadas. Não, enfermeira, não ponha o lenço de volta. Tenho de ver. Preciso aplicar o anestésico. Onde está o éter? Devo ter trazido o éter comigo. O que a senhora fez com o éter, Irmã? Château Neuf du Pape? Sim, também serve, serve perfeitamente bem.

Retire o lenço, enfermeira.

Claro! Eu sabia o tempo todo! É *Anthony Marston*! O rosto dele está roxo e convulso. Mas ele não está morto, está dando risada. Está rindo, juro! Está chacoalhando a mesa de operação.

Cuidado, homem, cuidado. Enfermeira, segure aí firme, segure firme.

Com um sobressalto, o doutor Armstrong acordou. Era de manhã. A luz do sol banhava o quarto.

E havia alguém inclinado sobre ele, sacudindo-o. Era Rogers. Rogers, com o rosto pálido, dizendo: — Doutor, doutor!

O doutor Armstrong acordou de vez.

Sentou-se na cama. Perguntou em tom áspero:

— O que é?

— É a minha esposa, doutor. *Não consigo acordá-la*. Meu Deus! Não consigo acordá-la. E... acho que ela não está passando bem.

O doutor Armstrong foi rápido e eficiente. Sem perder um instante, enfiou-se no roupão e seguiu Rogers.

Inclinou-se sobre a cama em que a mulher estava deitada de lado; ela parecia dormir tranquilamente. Segurou e ergueu a mão fria, levantou a pálpebra. Só depois de alguns instantes empertigou-se e afastou-se da cama.

Rogers sussurrou:

— Ela está... ela está...?

Passou a língua sobre os lábios secos.

Armstrong fez que sim com a cabeça.

— Sim, ela se foi.

Seus olhos pousaram pensativamente no homem à sua frente. Depois se voltaram para a mesa de cabeceira, o lavatório, e tornaram a fixar-se na mulher adormecida.

Rogers perguntou:

— Foi... foi... o coração, doutor?

Armstrong só respondeu depois de um ou dois minutos:

— A saúde dela estava normal?

— Ela tinha um pouco de reumatismo — respondeu Rogers.

— Ela se consultou com algum médico recentemente?

— Médico? — Rogers o encarou. — Fazia muitos anos que ela não via a cara de um médico. Nem ela nem eu.

— Você tinha algum motivo para acreditar que ela pudesse ter algum problema de coração?

— Não, doutor. Nunca soube de nada.

— Ela dormia bem? — perguntou Armstrong.

Agora Rogers desviou os olhos. Juntou as mãos e começou a torcê-las, inquieto. Murmurou:

— Não dormia assim tão bem, não.

O médico perguntou rispidamente:

— Ela tomava alguma coisa para dormir?

Rogers encarou-o, surpreendido.

— Alguma coisa? Para dormir? Não que eu saiba. Tenho certeza que não.

Armstrong foi até a pia.

Lá havia certo número de frascos. Loção para o cabelo, água de lavanda, cáscara-sagrada, glicerina de pepino para as mãos, um líquido para gargarejo, pasta de dentes e um pouco de líquido para embrocação Elliman.

Rogers ajudou-o, abrindo as gavetas da penteadeira. Dali passaram para a cômoda. Mas nenhum sinal de soníferos, nem em comprimidos nem em solução.

Por fim, Rogers disse:

— Ela não tomou nada ontem à noite, doutor, exceto o que o senhor deu...

2

ÀS NOVE EM PONTO, quando o sino soou anunciando o café da manhã, todos já haviam pulado da cama, já estavam vestidos e esperando o chamado.

O general Macarthur e o juiz tinham esticado as pernas caminhando para cá e para lá no terraço, trocando comentários disparatados e destemperados sobre a situação política.

Vera Claythorne e Philip Lombard tinham ido ao cume da ilha, atrás da casa. Lá haviam encontrado William Henry Blore, olhando fixamente para a terra firme. Ele disse:

— Nem sinal ainda daquela lancha. Estive vigiando.

Com um sorriso, Vera disse:

— Devon é um condado dorminhoco. Em geral as coisas aqui sempre se atrasam.

Philip Lombard olhava na outra direção, para o mar aberto. Perguntou abruptamente:

— O que acham do tempo?

Com um golpe de vista na direção do céu, Blore opinou:

— Para mim me parece bom.

Lombard franziu os lábios, como num assobio, e disse:

— Vai haver uma ventania antes que escureça.

Blore comentou:

— Rajadas de vento, hein?

Lá de baixo veio o som do sino.

— Café da manhã? Nada mal. Bem que estou precisando.

Enquanto desciam o íngreme declive, Blore disse a Lombard, em tom meditativo:

— Sabe, não consigo entender uma coisa: por que aquele rapaz quis acabar com a própria vida? Passei a noite inteira ruminando essa história.

Vera ia um pouco à frente. Lombard desacelerou um pouco o passo e disse:

— Tem alguma teoria alternativa?

— Eu gostaria de ter alguma prova. Um motivo, para começar. Eu diria que ele estava muito bem de vida.

Emily Brent saiu pela porta da sala de estar e veio ao encontro dos três.

De supetão, perguntou:

— O barco está vindo?

— Ainda não — respondeu Vera.

Foram para a mesa. Sobre o aparador havia chá, café e uma enorme travessa com ovos e bacon.

Rogers segurou a porta aberta enquanto todos passavam e depois voltou a fechá-la por fora.

Emily Brent observou:

— Esse homem parece doente esta manhã.

O doutor Armstrong, que estava parado junto à janela, limpou a garganta e disse:

— Peço a todos que desculpem quaisquer... hã... falhas no serviço esta manhã. Rogers teve de preparar sozinho o café da manhã. Mrs. Rogers não pôde... hã... trabalhar hoje.

Emily Brent perguntou, surpreendida:

— Qual é o problema com a mulher?

Em tom sossegado, o doutor Armstrong propôs:

— Vamos comer. Os ovos vão esfriar. Depois, há vários assuntos que desejo discutir com todos os presentes.

Os outros entenderam a indireta. Encheram os pratos, serviram-se de chá e café. A refeição teve início.

Por consenso, a discussão sobre a ilha estava proibida. Em vez disso, conversaram, de maneira desconexa, sobre atualidades: notícias do exterior, eventos esportivos e a mais recente aparição do monstro do lago Ness.

Depois, quando os pratos foram retirados, o doutor Armstrong afastou um pouco sua cadeira para trás, pigarreou com importância e falou:

— Achei que seria melhor esperar até que todos terminassem de tomar o café da manhã antes de dar uma triste notícia. Mrs. Rogers morreu enquanto dormia.

Houve interjeições surpreendidas e exclamações atônitas.

Vera, chocada, comentou:

— Que terrível! Duas mortes nesta ilha desde que chegamos!

O juiz Wargrave, com os olhos semicerrados, disse na sua voz miúda, clara e precisa:

— Hum... é realmente fora do comum, qual foi a causa da morte?

Armstrong deu de ombros.

— Impossível dizer assim, repentinamente, de improviso.

— É preciso fazer uma necrópsia?

— Certamente eu não poderia dar um atestado de óbito. Não tenho o menor conhecimento do estado de saúde dela.

Vera observou:

— Parecia ser uma criatura muito nervosa. E ontem à noite sofreu um grande abalo. Pode ter sido o coração, suponho.

Secamente, o médico interveio:

— Certamente o coração dela parou de bater, mas a questão é saber o que causou a parada cardíaca.

Uma única palavra escapou da boca de Emily Brent. Uma palavra dita com clareza e aspereza, que caiu com estardalhaço no meio do grupo que a escutava:

— Consciência! — ela disse.

Armstrong virou-se para ela:

— O que exatamente quer dizer com isso, miss Brent?

Com os lábios firmemente cerrados, Emily Brent respondeu:

— Os senhores todos me ouviram. Ela foi acusada, juntamente com o marido, de ter assassinado deliberadamente a patroa, uma senhora idosa.

— E a senhorita acha que...

A resposta foi imediata:

— Acho que a acusação era verdadeira. Todos os senhores viram como ela ficou ontem à noite. Ela teve um colapso e desmaiou. O choque de tomar consciência da própria maldade, de saber que alguém sabia, de ouvir com tanta violência da boca de outra pessoa, foi demais para ela. Ela literalmente morreu de medo.

O doutor Armstrong sacudiu a cabeça, com ar de dúvida.

— É uma teoria plausível — disse ele. — Mas não se pode adotá-la sem um conhecimento mais exato do estado de saúde da mulher. Se havia algum tipo de deficiência cardíaca...

Com voz doce e sentimental, Emily Brent acrescentou, tranquila:

— Chamem, se preferirem, de um ato de Deus.

Todos pareceram chocados.

Mr. Blore falou, inquieto e constrangido:

— A senhorita está levando as coisas longe demais, miss Brent.

Ela lançou a todos um olhar faiscante e desvairado. Levantou o queixo e disse:

— Os senhores acham impossível que um pecador seja fulminado pela ira de Deus! Eu não! Eu acredito na justiça divina.

O juiz afagou o queixo. Numa voz ligeiramente irônica, murmurou:

— Minha cara senhorita, pela experiência que tenho do mal, a Providência deixa o trabalho de condenar e punir a nós, mortais, e o processo é, quase sempre, eivado de dificuldades. Não há atalhos nem nada que facilite ou suavize a tarefa.

Emily Brent deu de ombros.

Blore perguntou avidamente:

— O que foi que ela comeu e bebeu ontem à noite, antes de ir para a cama?

Armstrong respondeu:

— Nada.

— Ela não tomou nada? Uma xícara de chá? Um gole de água? Aposto que tomou chá. Esse tipo de gente sempre faz isso.

— Rogers garante que ela não tomou absolutamente nada.

— Ah — bufou Blore. — Mas isso é o que *ele* diz!

Seu tom de voz era tão significativo que o doutor encarou-o com um olhar penetrante e perspicaz.

Philip Lombard perguntou:

— Então é essa a sua ideia?

Agressivamente, Blore respondeu:

— Bem, por que não? Ontem à noite todos nós ouvimos aquela acusação. Podia ser puro disparate, pura e simples loucura! Mas, por outro lado, podia não ser. Vamos admitir, por um momento, que fosse verdade. Rogers e sua senhora liquidaram a velha. Bem, aonde é que isso leva? Eles se sentiam em perfeita segurança e muito felizes sobre o assunto...

Vera o interrompeu. Numa voz baixa, disse:

— Não, não acho que mrs. Rogers chegou algum dia a se sentir em segurança.

Blore pareceu levemente irritado com a interrupção. "Mulher é tudo igual", dizia seu olhar.

Ele retomou a palavra; expressava-se com eloquência:

— Bem, seja lá o que for. De qualquer modo, não havia nenhum perigo sério para eles, pelo menos até onde soubessem. Então, ontem à noite, de repente, algum lunático desconhecido dá com a língua nos dentes e revela o segredo. E o que acontece? A mulher tem um troço, desmorona. Notaram como o marido ficou junto dela quando ela estava voltando a si? Aquilo não era só solicitude de marido! Oh, não, por nada neste mundo! Ele parecia um gato em telhado de zinco quente. Estava morrendo de medo do que ela poderia falar.

— E a situação é essa! Eles cometeram um assassinato e ficaram impunes. Mas, se a coisa toda for remexida e a história vier à tona, o que vai acontecer? Aposto dez contra um que a mulher entrega os pontos. Ela não tinha fibra para enfrentar de peito aberto. Ela é um perigo ambulante para o marido, isso sim! Ele está bem, com a cabeça no lugar, sabe o que faz. *Ele* vai continuar mentindo com a maior cara de pau até o Dia do Juízo, mas não pode confiar *nela*! E, se ela der com a língua nos dentes, o pescoço dele corre perigo! Portanto, ele bota discretamente qualquer coisa numa xícara de chá para ter certeza de que a boca da mulher está fechada para sempre.

Com voz pausada, Armstrong disse:

— Não havia nenhuma xícara vazia ao lado da cama dela, não havia absolutamente nada lá. Eu procurei.

Blore bufou, desdenhoso:

— Ora, claro que não havia nada! A primeira coisa que ele fez depois que ela bebeu foi pegar a xícara e o pires e lavá-los com extremo cuidado.

Houve uma pausa. Depois o general Macarthur disse, em tom de dúvida:

— Pode ser. Mas acho quase impossível que um homem seja capaz de fazer isso... com a própria esposa.

Blore deu uma risadinha e disse:

— Quando o homem tem de salvar o pescoço, não perde muito tempo pensando em sentimentos.

Houve nova pausa. Antes que alguém tivesse a chance de falar, a porta se abriu e Rogers entrou.

Olhando a todos, um a um, perguntou:

— Há mais alguma coisa que posso fazer pelos senhores? Peço que aceitem minhas sinceras desculpas se havia poucas torradas, mas acabou o pão. A nova remessa ainda não chegou da terra firme.

O juiz Wargrave remexeu-se um pouco na cadeira e perguntou:

— A que horas costuma vir a lancha?

— Entre 7h e 8h, senhor. Às vezes um pouco depois das 8h. Não sei o que Fred Narracott pode estar fazendo esta manhã. Se estivesse doente, teria mandado o irmão.

Philip Lombard quis saber:

— Que horas são agora?

— Faltam 10 minutos para as 10h, senhor.

Lombard ergueu as sobrancelhas e balançou lentamente a cabeça, num gesto ensimesmado.

Rogers esperou um ou dois minutos.

De súbito, num surto explosivo, o general Macarthur falou:

— Lamento o que houve com sua esposa, Rogers. O doutor acaba de nos contar.

Rogers inclinou a cabeça.

— Sim, senhor. Muito obrigado, senhor.

Apanhou o prato vazio de bacon e retirou-se.

Novamente, o silêncio pétreo abraçou a sala.

3

NO TERRAÇO AO LADO, Philip Lombard disse:

— A respeito dessa lancha...

Blore olhou para ele. Balançou a cabeça, depois atalhou:

— Sei em que está pensando, mr. Lombard. Já me fiz a mesma pergunta. A lancha devia ter chegado há quase 2 horas. E não veio! Por quê?

— E o senhor encontrou a explicação? — perguntou Lombard.

— Não é um acidente, é o que eu digo. É parte de um plano. Tudo isso é uma coisa só.

— Acha que o barco não vem? — especulou Lombard.

Uma voz falou atrás deles — uma voz rabugenta e impaciente:

— A lancha não vem.

Blore virou ligeiramente os ombros retos e, com ar pensativo, olhou para o dono da voz.

— O senhor também acha que não, general?

O general Macarthur respondeu com rispidez:

— Claro que não vem. Estamos contando com a lancha para sair da ilha. É o que significa toda essa história. *Nós não vamos sair desta ilha...* Nenhum de nós jamais sairá daqui... É o fim, entendem? O fim de tudo...

Ele hesitou, depois prosseguiu numa voz baixa e estranha:

— Isso sim é que é paz... a verdadeira paz... chegar ao fim... não ter de continuar... Sim, a paz...

Virou as costas, num movimento brusco, e afastou-se. Caminhou até o fim do terraço, começou a descer a ladeira que levava ao mar — obliquamente — até a extremidade da ilha, onde rochedos soltos sobressaíam da água.

Andava um tanto trôpego, com passos instáveis, como os de um homem ainda semiadormecido.

Blore disse:

— Lá vai outro doido! Pelo visto, no fim das contas, todos vão acabar assim.

Philip Lombard observou:

— Não acho que isso vá acontecer com o senhor, mr. Blore.

O ex-inspetor riu.

— No meu caso seria preciso muito mais para me fazer perder a cabeça. — E acrescentou, secamente:

— Também não creio que venha a acontecer com o senhor, mr. Lombard.

Philip devolveu:

— Neste momento sinto que estou em meu perfeito juízo, obrigado.

4

O DOUTOR ARMSTRONG SAIU PARA o terraço. Ficou lá parado, hesitante. À sua esquerda estavam Blore e Lombard. À sua direita, Wargrave, andando de um lado para o outro, com a cabeça enterrada no peito e os olhos fitos no chão.

Após um momento de indecisão, Armstrong caminhou na direção deste último.

Mas, no mesmo instante, Rogers apareceu, saindo às pressas de dentro da casa:

— Posso falar um instante com o senhor, por favor?

Armstrong virou-se para olhar o mordomo.

Ficou assombrado com o que viu.

O rosto de Rogers estava alterado, contorcendo-se em espasmos; havia adquirido uma cor verde-acinzentada. Suas mãos tremiam.

O contraste com a sua compostura de poucos minutos atrás era tamanho e tão violento que Armstrong ficou perplexo.

— Por favor, doutor, se eu puder trocar duas palavras com o senhor. Dentro da casa, senhor.

O médico voltou e entrou novamente na casa, junto com o desvairado mordomo:

— Qual é o problema, homem? Acalme-se.

— Aqui, senhor, entre aqui.

Abriu a porta da sala de jantar. O médico entrou. Rogers seguiu-o e fechou a porta atrás de si.

— Bem — disse Armstrong. — O que é?

Os músculos da garganta de Rogers se contraíam. Engolia em seco. Falou de modo abrupto:

— Estão acontecendo coisas aqui que não entendo, senhor.

Armstrong perguntou com aspereza:

— Coisas? Que coisas?

— Vai pensar que estou louco, senhor. Dirá que não é nada. Mas precisa de alguma explicação, senhor. Precisa de explicação! Porque não faz sentido.

— Bem, homem, diga logo o que é. Pare de falar por enigmas.

Rogers engoliu em seco mais uma vez e disse:

— São aquelas figurinhas, senhor. No centro da mesa. Os soldadinhos de porcelana. Eram dez, eram sim. Juro que eram dez!

Armstrong disse:

— Sim, dez. Nós contamos ontem à noite, na hora do jantar.

Rogers chegou mais perto do médico:

— Exatamente isso, senhor. Ontem à noite, quando vim tirar a mesa, só havia nove, senhor. Percebi e achei esquisito. Mas só, e não pensei mais no assunto. E agora, senhor, hoje de manhã... não notei quando pus a mesa do café. Estava desnorteado e perturbado, e tudo o mais. Mas agora, quando vim tirar novamente a mesa... Veja o senhor mesmo, se não acredita em mim. *Aí estão só oito, senhor!* Só oito! Não faz sentido, faz? Não dá para entender. *Só oito...*

1

DEPOIS DO CAFÉ DA MANHÃ, Emily Brent tinha sugerido a Vera Claythorne que caminhassem mais uma vez até o cume, para ver se o barco aparecia. Vera concordara.

O vento havia refrescado. Pequenas cristas brancas estavam surgindo no mar. Não se viam barcos de pesca nem sinal algum da lancha.

O vilarejo de Sticklehaven propriamente dito não podia ser avistado, mas somente o outeiro acima dele; um penhasco saliente e arqueado de rocha vermelha ocultava a pequena baía.

Emily Brent disse:

— O homem que nos trouxe ontem parecia uma pessoa de confiança. É realmente muito esquisito que ele esteja tão atrasado nesta manhã.

Vera não respondeu. Estava tentando refrear uma sensação de pânico que crescia dentro dela.

Em seu esforço de manter a serenidade, disse furiosamente para si mesma:

— Você deve ficar calma. Você não é assim. Você sempre teve nervos excelentes.

Depois de um ou dois minutos, ela disse em voz alta:

— Tomara que ele venha. Eu... eu queria ir embora daqui.

Emily Brent comentou secamente:

— Não tenho dúvida de que todos nós queremos a mesma coisa.

Vera disse:

— Tudo isso é tão extraordinário... Parece não... não ter sentido algum.

A velha falou com vivacidade:

— Estou muito aborrecida e irritada comigo mesma por ter me deixado enganar tão facilmente. Pensando bem, aquela carta é mesmo absurda e não resiste a um exame mais cuidadoso. Mas quando a recebi não tive nenhuma dúvida, absolutamente nenhuma.

Vera murmurou maquinalmente:

— Suponho que não.

— A gente se acostuma demais a aceitar as coisas sem discutir nem pensar, acha tudo normal — disse Emily Brent.

Vera respirou fundo, com um estremecimento:

— A senhora realmente pensa... aquilo que disse à mesa do café?

— Seja um pouco mais específica, minha querida. A que coisa em particular está se referindo?

Vera respondeu numa voz fraca:

— Acha mesmo que Rogers e a mulher mataram aquela senhora?

Pensativa, Emily Brent fitou demoradamente o mar, depois disse:

— Pessoalmente, tenho absoluta certeza. E a senhorita, o que acha?

— Não sei o que pensar.

Emily Brent argumentou enfaticamente:

— Tudo conspira a favor da ideia. O jeito com que ela desmaiou. A maneira com que o homem deixou cair a bandeja do café. Depois, o modo como ele falou sobre o assunto — não me pareceu verdade, não convenceu. Oh, sim, receio que ambos sejam culpados.

Vera disse:

— Ela parecia... apavorada com a própria sombra! Nunca vi uma mulher com um ar tão assustado... Devia viver atormentada e mortificada.

Miss Brent murmurou:

— Lembro-me de um texto que ficava pendurado na parede do meu quarto, quando eu era criança: *"Eis que pecastes contra o Senhor; e sabei que o vosso pecado vos há de achar".* É uma grande verdade isso. *"Eis que pecastes contra o Senhor; e sabei que o vosso pecado vos há de achar."*

Vera ficou de pé e disse:

— Mas, miss Brent... miss Brent... nesse caso...

— Sim, minha querida?

* Citação bíblica: Num 32, 23. [N.T.]

— Os outros? E quanto aos outros?

— Não estou entendendo muito bem o que quer dizer.

— Todas as outras acusações... elas... *não eram* verdadeiras? Mas, se é verdade no caso dos Rogers... — Calou-se de repente, incapaz de ordenar seus pensamentos caóticos.

A testa de Emily Brent, até então franzida numa expressão de perplexidade, perdeu o peso da preocupação:

— Ah, agora estou entendendo. Bem, há esse tal mr. Lombard. Ele admite ter abandonado vinte homens à morte.

Vera comentou, como se tentasse justificar:

— Eram apenas nativos...

— Brancos ou pretos, são nossos irmãos — respondeu violentamente Emily Brent.

"Nossos irmãos pretos, nossos irmãos pretos", pensou Vera. "Oh, que vontade de rir! Estou ficando histérica. Não sou mais eu mesma..."

Com ar pensativo, Emily Brent continuou:

— É óbvio que algumas das outras acusações foram forçadas e ridículas. Contra o juiz, por exemplo; ele estava apenas cumprindo seu dever, atribuição do cargo público que exerce. E contra o ex-investigador da Scotland Yard. No meu caso também.

Fez uma pausa e depois continuou:

— Naturalmente, levando em conta as circunstâncias, eu não ia dizer nada ontem à noite. Não era assunto para ser discutido na presença de cavalheiros.

— Não?

Vera escutava com interesse. Miss Brent prosseguiu, serenamente:

— Beatrice Taylor trabalhava para mim. *Não era uma boa menina*, conforme descobri tarde demais. Enganei-me redondamente a respeito dela. Ela tinha boas maneiras, era muito asseada e obediente. Eu estava muito satisfeita com ela. Claro que tudo não passava da mais pura hipocrisia! Era uma menina indecente e sem moral alguma. Repugnante! Demorei algum tempo para descobrir que ela estava "metida em encrenca", como dizem. — Fez uma pausa, enrugando com nojo o seu delicado nariz. — Foi um grande choque para mim. Os pais dela eram gente de bem, e ela tinha sido criada com toda a severidade. Fico feliz de dizer que não fecharam os olhos para o comportamento dela.

Com os olhos fixos em miss Brent, Vera perguntou:

— O que aconteceu?

— Naturalmente, não fiquei com ela nem mais uma hora sob o meu teto. Ninguém jamais poderá dizer que compactuei com a imoralidade.

Vera perguntou, numa voz débil:

— O que aconteceu... a ela?

Miss Brent disse:

— A criatura abandonada, não contente de já ter um pecado na consciência, cometeu um pecado ainda mais grave. Pôs fim à própria vida.

Horrorizada, Vera sussurrou:

— Ela se matou?

— Sim, atirou-se no rio.

Vera teve um arrepio.

Fitou o perfil calmo e delicado de miss Brent e disse:

— Como a senhorita se sentiu quando soube que ela havia feito isso? Não se arrependeu? Não acusou a si mesma? Não se sentiu culpada?

Emily Brent empertigou-se.

— Eu? Eu não fiz nada errado. Nada tenho que me reprovar.

Vera alegou:

— Mas se foi a sua... dureza... que a levou a se matar.

Emily Brent respondeu em tom severo:

— Foi iniciativa dela, ação dela — seu próprio pecado — que a levou a fazer isso. Se ela tivesse se comportado como uma moça decente e recatada, nada disso teria acontecido.

Virou o rosto para Vera. Não havia nenhum sinal de remorso, nenhum indício de inquietude nos seus olhos. Eram inflexíveis e orgulhosos. Sentada no cume da ilha do Soldado, Emily Brent estava envolta por sua própria armadura de virtude.

Aos olhos de Vera, a pequenina e idosa solteirona já não parecia minimamente ridícula.

De súbito, tornara-se terrível.

2

O DOUTOR ARMSTRONG DEIXOU A sala de jantar e mais uma vez saiu para o terraço.

Refestelado agora numa cadeira, o juiz contemplava placidamente o mar.

Lombard e Blore achavam-se mais longe, à esquerda, fumando em silêncio.

Como da primeira vez, o médico hesitou por um momento. Seu olhar se fixou especulativamente no juiz Wargrave. Queria consultar alguém, trocar ideias. Sabia que o juiz tinha um cérebro arguto e lógico.

Mesmo assim, hesitava. O juiz Wargrave podia ter um cérebro excelente, mas era um homem idoso. Nessa conjuntura, Armstrong sentia a necessidade de um homem de ação.

Por fim, resolveu-se:

— Lombard, posso falar um instante com o senhor?

Philip começou a caminhar na direção dele.

— Claro.

Os dois homens deixaram o terraço. Desceram devagar o declive em direção à água do mar. Quando já não podiam ser ouvidos, Armstrong falou:

— Quero fazer uma consulta.

Lombard ergueu as sobrancelhas.

— Meu caro, não entendo de medicina.

— Não, não, refiro-me à situação geral.

— Oh, aí é outra coisa.

Armstrong perguntou:

— Francamente, o que o senhor pensa da situação?

Lombard refletiu um instante. Depois disse:

— É bastante sugestiva, não é?

— O que pensa a respeito dessa mulher? O senhor aceita a teoria de Blore?

Philip soltou uma baforada de fumaça.

— É perfeitamente plausível, se considerada em si mesma.

— Exatamente.

O tom da resposta parecia um sinal de alívio. Philip Lombard não era tolo.

— Isto é, aceitando-se a premissa de que mr. e mrs. Rogers tenham cometido um assassinato e escapado impunemente, dez anos atrás. E não vejo nenhuma impossibilidade nisso. O que o senhor acha que eles fizeram exatamente? Envenenaram a velha?

Lentamente, Armstrong respondeu:

— Pode ter sido algo bem mais simples que isso.

— Hoje de manhã perguntei a Rogers de que doença sofria miss Brady. A resposta foi esclarecedora. Não preciso entrar em detalhes médicos, mas basta dizer que, no caso de certas formas de perturbação cardíaca, usa-se nitrito de amila. Quando sobrevém um ataque, quebra-se e inala-se uma ampola de nitrito de amila. Se essa medicação fosse omitida... bem, as consequências poderiam facilmente ser fatais.

Pensativo, Philip Lombard disse:

— Simples assim. Deve ter sido... bastante tentador.

O médico assentiu com a cabeça:

— Sim, não era preciso fazer nada, nenhuma ação positiva. Não havia o trabalho nem o perigo de obter e administrar arsênico... nada definido nem decidido... apenas... a negação! E Rogers saiu pela noite afora em busca de um médico, e ambos estavam confiantes de que ninguém jamais saberia.

— E, mesmo que alguém soubesse, jamais conseguiria provar coisa alguma contra eles — acrescentou Philip Lombard, que, franzindo repentinamente a sobrancelha, acrescentou:

— Obviamente... isso explica muita coisa.

Intrigado, Armstrong perguntou:

— Como assim? Não entendi.

Lombard esclareceu:

— Quero dizer... explica a ilha do Soldado. Há crimes que não podem ser imputados a quem os cometeu. O dos Rogers, por exemplo. Outro exemplo, o do velho Wargrave, que perpetrou o seu assassinato estritamente dentro da lei.

— O senhor acredita nessa história? — perguntou Armstrong, vivamente.

Philip Lombard sorriu.

— Oh, sim, acredito. Wargrave assassinou Edward Seton, não há a menor dúvida, assassinou-o tão seguramente como se tivesse trespassado o coitado com um punhal! Mas foi inteligente o bastante para fazer isso sentado em sua cadeira de juiz, de toga e peruca. Dessa maneira, dentro dos processos comuns do dia a dia do tribunal, ninguém pode atribuir a ele a culpa por esse crimezinho.

Súbito como um relâmpago, um pensamento precipitou-se no cérebro de Armstrong:

"Assassinato no hospital. Assassinato na mesa de cirurgia — sim, tão seguro como uma casa!"

Philip Lombard continuava falando:

— Consequentemente... mr. Owen... consequentemente... ilha do Soldado!

Armstrong respirou fundo:

— Agora estamos chegando ao ponto principal: qual é o verdadeiro propósito de reunir nós todos aqui?

Philip Lombard devolveu a pergunta:

— O que *o senhor* acha?

Armstrong respondeu abruptamente:

— Vamos voltar um instante à morte da mulher. Quais são as teorias possíveis? A primeira hipótese é que Rogers a matou porque temia que ela desse com a língua nos dentes. Segunda possibilidade: ela se apavorou e escolheu a saída mais fácil, dando cabo da própria vida.

Philip Lombard disse:

— Suicídio, hein?

— O que *o senhor* acha disso?

Lombard respondeu:

— Podia ter sido... sim... *se Marston também não tivesse se matado.* Dois suicídios em doze horas é um *pouco demais*, é duro de engolir! E se o senhor me disser que Anthony Marston, jovem e forte como um touro, sem preocupações nem ansiedades e com pouquíssimo cérebro, se encheu de remorso e de medo por ter atropelado e matado indiscriminadamente duas crianças e resolveu dar fim à própria vida... bom, tal ideia é simplesmente ridícula e risível! E, de qualquer maneira, como ele teria obtido o veneno? Que eu saiba, as pessoas não andam por aí carregando cianureto de potássio no bolso do colete. Mas, afinal, essa é a sua área.

Armstrong ponderou:

— Ninguém, em seu juízo perfeito, anda por aí com cianureto de potássio no bolso. A menos que queira destruir um ninho de vespas.

— Em outras palavras, o zeloso jardineiro ou o dono da casa. Ou seja, Anthony Marston está excluído. O que me parece esquisito é esse cianureto, que precisa de explicação. Ou Anthony Marston queria acabar com a própria vida antes de vir para cá, e, por isso, já chegou aqui preparado... ou então...

— Ou então? — Armstrong o instigou.

Philip Lombard deu um sorriso largo, arreganhando os dentes.

— Por que o senhor me obriga a dizer com todas as letras, se está na ponta da sua língua? *Anthony Marston foi assassinado, é claro.*

3

O DOUTOR ARMSTRONG RESPIROU FUNDO:

— E mrs. Rogers?

Lombard disse com voz pausada:

— Eu poderia acreditar no suicídio de Anthony (com dificuldade) se não fosse pela mrs. Rogers. Poderia acreditar (facilmente) no suicídio da mrs. Rogers se não fosse por Anthony Marston. Poderia acreditar que Rogers tenha se livrado da mulher se não fosse pela morte sem explicação de Anthony Marston. Mas precisamos mesmo é de uma teoria que explique duas mortes ocorridas tão perto uma da outra que chegaram a ser quase simultâneas.

Armstrong disse:

— Talvez eu possa dar alguma ajuda na formulação dessa teoria.

E repetiu os fatos que Rogers havia relatado a respeito do desaparecimento das duas figurinhas de porcelana.

Lombard disse:

— Sim, os soldadinhos de porcelana... Ontem à noite, na hora do jantar, certamente havia dez. E agora o senhor está dizendo que há apenas oito?

O doutor Armstrong recitou:

"Dez soldadinhos saem para jantar, a fome os move;

Um deles se engasgou, e então sobraram nove.

Nove soldadinhos acordados até tarde, mas nenhum está afoito;

Um deles dormiu demais, e então sobraram oito."

Os dois homens entreolharam-se. Philip Lombard sorriu e jogou fora o seu cigarro.

— O maldito poema encaixa-se bem demais para ser só uma coincidência! Anthony Marston morreu de asfixia ou engasgamento ontem à noite depois do jantar, e mamãe Rogers caiu no sono eterno.

— Consequentemente... — disse Armstrong.

Lombard pegou-o pela palavra:

— Consequentemente, aí está o enigma. A mosca na sopa! Mr. Owen! U. N. Owen! Um lunático desconhecido à solta!

— Ah! — exclamou Armstrong, com um suspiro de alívio. — Então o senhor concorda! Mas está vendo o que isso implica? Rogers jurou que não havia ninguém na ilha a não ser nós, ele e a mulher.

— Rogers está enganado! Ou talvez esteja mentindo!

Armstrong balançou a cabeça:

— Não creio que ele esteja mentindo. O homem está apavorado. Assustado quase a ponto de perder o juízo.

Philip Lombard assentiu com a cabeça, depois disse:

— Nem sinal do barco esta manhã. Isso também combina com o resto: sempre os pequenos arranjos de mr. Owen! A ilha do Soldado deve ficar isolada até que mr. Owen conclua a sua tarefa.

Armstrong empalidecera.

— O senhor percebe... o homem deve ser um doido varrido!

Philip Lombard falou, agora com um novo timbre de voz:

— Mas há uma coisa que mr. Owen não calculou.

— O que é?

— Esta ilha é mais ou menos um rochedo nu. Não seria difícil dar uma busca completa. Em pouco tempo vamos desentocar o ilustríssimo mr. U. N. Owen.

— Ele deve ser perigoso — advertiu Armstrong, alarmado.

Philip Lombard riu:

— Perigoso? Quem tem medo do grande lobo mau? *Eu* serei perigoso quando puser as mãos nele!

Fez uma pausa e disse:

— Melhor convocarmos Blore para nos ajudar. Será um homem valioso numa situação de aperto. Melhor não dizer nada às mulheres. Quanto aos outros, creio que o general está gagá, e o forte do velho Wargrave é a inatividade magistral. Nós três podemos dar conta do recado.

1

FOI FÁCIL RECRUTAR BLORE, que de imediato manifestou sua concordância de opinião com os argumentos dos dois homens.

— O que o senhor disse a respeito dessas figuras de porcelana faz toda a diferença. É uma loucura, isso sim! Mas há mais uma coisinha: não acha que a ideia de mr. Owen é fazer o serviço por procuração, por assim dizer?

— Explique-se, homem.

— Bem, o que quero dizer é o seguinte: depois daquele tumulto de ontem à noite, o rapaz, Marston, se apavora e se envenena. E, então, Rogers também perde o juízo e apaga a mulher! Tudo de acordo com os planos de U.N.O.

Armstrong balançou a cabeça. Chamou a atenção do outro para a questão do cianureto. Blore concordou.

— É verdade, eu tinha esquecido isso. Não é uma coisa que se costume carregar naturalmente no bolso. Mas, então, como o veneno foi parar no copo dele, senhor?

Lombard respondeu:

— Andei pensando nisso. Marston tomou vários drinques ontem à noite. Entre o penúltimo e o último, passou-se um bom tempo. Durante esse intervalo, o seu copo ficou em cima de uma ou outra mesinha. Acho — embora não tenha certeza — que era a mesinha próxima à janela do terraço. Essa janela estava aberta. Em algum momento alguém podia ter derramado a dose de cianureto no copo.

— Sem que nenhum de nós visse, senhor? — perguntou Blore, incrédulo.

Lombard foi seco:

— Estávamos todos... bastante preocupados e distraídos com outra coisa.

Armstrong disse, com voz pausada:

— É verdade. Tínhamos sido atacados. Naquele momento estávamos em polvorosa, andando de um lado para o outro da sala, indignados, discutindo, ruminando e gesticulando, concentrados nas acusações que nos diziam respeito. Acho que era, sim, algo possível de fazer...

Blore deu de ombros.

— O fato é que deve ter sido feito! Bem, agora, cavalheiros, vamos começar. Ninguém tem um revólver, por acaso? Creio que isso seria esperar demais.

— Eu tenho — disse Lombard, dando batidinhas com a mão no bolso.

Os olhos de Blore se arregalaram. Ele perguntou num tom excessivamente casual:

— Sempre carrega isso por aí, senhor?

— Geralmente sim. Tenho me arriscado em alguns lugares perigosos, sabe?

— Oh! — exclamou Blore; e acrescentou: — Bem, é provável que nunca tenha estado num lugar mais perigoso do que este em que está agora! Se há um maluco escondido nesta ilha, provavelmente conta com um pequeno arsenal — para não falar de uma faca e um ou dois punhais.

Armstrong tossiu.

— Aí é que o senhor pode estar enganado, Blore. Muitos psicopatas homicidas são pessoas tranquilas e simples. Sujeitos sossegados e simpáticos até.

Blore disse:

— Não creio que seja o caso do nosso homem, doutor Armstrong.

2

OS TRÊS HOMENS INICIARAM SUA incursão pela ilha.

A busca revelou-se inesperadamente simples. Para o lado noroeste, na direção da costa, os rochedos íngremes, de superfície lisa e contínua, mergulhavam verticalmente no mar.

No resto da ilha não havia árvores e eram poucos os lugares de abrigo. Os três homens trabalharam com cuidado e método, batendo o terreno de cima a baixo, desde o ponto culminante até a beira-mar, examinando minuciosamente a menor irregularidade da rocha que pudesse indicar a entrada de uma caverna. Mas não havia cavernas.

Por fim, acompanhando a beira da água, chegaram ao lugar onde o general Macarthur estava sentado, contemplando o mar. Era um local bastante tranquilo, em que o único som era o marulhar das ondas contra os rochedos. O velho mantinha o torso muito ereto, com os olhos fixos no horizonte.

Ele não deu atenção à aproximação dos investigadores. Esse estado de quietude e letargia, semelhante ao descaso, fez com que pelo menos um deles se sentisse ligeiramente desconfortável.

Blore pensou:

"Isso não é natural; parece que ele está num transe ou coisa do tipo."

Pigarreou e disse num tom amistoso, de quem pretende puxar conversa:

— O senhor escolheu um lugar muito tranquilo.

O general franziu a sobrancelha. Lançou um rápido olhar por cima do ombro e disse:

— Resta tão pouco tempo, tão pouco tempo! Devo insistir para que ninguém me perturbe.

A resposta de Blore foi cordial:

— Nós não vamos perturbá-lo. Estamos apenas dando um giro pela ilha, por assim dizer. Desconfiamos que pudesse haver alguém escondido.

O general carranqueou a fisionomia e revidou prontamente:

— O senhor não entende, o senhor não entende absolutamente nada. Por favor, vá embora.

Blore afastou-se. Aos outros dois disse:

— Ele está doido... De nada adianta falar com ele.

Lombard perguntou, com certa curiosidade:

— O que ele disse?

Blore deu de ombros:

—Alguma coisa sobre não haver tempo e que não queria ser perturbado.

O rosto do médico adquiriu uma expressão sombria. Ele murmurou:

— Será que...

3

A BUSCA NA ILHA ESTAVA praticamente terminada. Depois de vasculhar tudo de cabo a rabo, os três homens estavam de volta ao ponto mais alto, olhando para a terra firme. Não se avistava nenhuma embarcação no mar. O vento soprava, refrescando a paisagem.

— Os barcos de pesca não saíram hoje. Vem aí a tempestade. É uma praga dos diabos que daqui não se possa ver a aldeia — comentou, aborrecido, Lombard. — Podíamos fazer sinais ou qualquer outra coisa.

— Podemos fazer uma fogueira esta noite — sugeriu Blore.

Lombard, franzindo o cenho, disse:

— O mais infernal é que tudo isso provavelmente foi previsto e arranjado.

— Como assim, senhor? De que maneira?

— Sei lá! Como é que vou saber? Uma brincadeira, talvez. Nós temos de ficar aqui, isolados, ninguém deve prestar nenhuma atenção aos sinais etc. Possivelmente o vilarejo deve ter sido informado de que se trata de uma aposta, com dinheiro em jogo. Enfim, alguma história idiota.

— O senhor acha que eles engoliriam isso? — perguntou Blore, em tom cético.

Lombard respondeu com secura:

— É mais fácil acreditar nisso do que na verdade! Se o vilarejo tivesse sido informado de que a ilha devia ficar isolada até que mr. Desconhecido Owen terminasse de assassinar tranquilamente e em segredo todos os hóspedes, o senhor acha que acreditariam?

— Há momentos em que eu mesmo não consigo acreditar. E mesmo assim...

Fazendo um beicinho, Philip Lombard disse:

— *E mesmo assim...* É isso aí. O senhor já disse tudo, doutor!

Blore olhava fixamente a água lá embaixo. E disse:

— Por aqui ninguém poderia ter descido, acho. Seria difícil.

Armstrong balançou a cabeça, aquiescendo.

— Duvido. É bastante íngreme. E onde ele se esconderia?

Blore especulou:

— Talvez haja um buraco no despenhadeiro. Se tivéssemos um barco, poderíamos circundar a ilha.

Lombard acrescentou:

— Se tivéssemos um barco, a essa hora já estaríamos na metade do caminho de volta à terra firme!

— É verdade, senhor — concordou Blore.

De súbito, Lombard propôs:

— O que dá para fazer é nos certificarmos a respeito deste rochedo. Só existe um ponto em que *pode* haver alguma reentrância — é um pouquinho à direita, bem aqui embaixo. Se os senhores arranjarem uma corda, poderão me segurar enquanto eu desço para verificar.

— A melhor coisa mesmo é verificar — disse Blore. — Embora pareça absurdo, a julgar pelas aparências! Vou ver se consigo arranjar algo.

E pôs-se a andar a passos ligeiros na direção da casa.

Lombard olhou para o céu. Era um dia de nuvens baixas, que começavam a se acumular. O vento aumentava.

Philip olhou de soslaio para Armstrong e disse:

— O senhor está muito calado, doutor. No que está pensando?

Armstrong respondeu com voz pausada:

— Estava me perguntando até onde vai exatamente a loucura do velho Macarthur...

4

VERA TINHA ESTADO INQUIETA DURANTE toda a manhã. Evitara Emily Brent com uma espécie de trêmula aversão.

Já miss Brent levara uma cadeira para o canto da casa, de modo a se abrigar do vento. Ali ficou sentada, muito atenta e ocupada com o seu tricô.

Cada vez que Vera pensava nela, tinha a impressão de ver um rosto pálido de afogada, com algas enredadas no cabelo... Um rosto que outrora tinha sido bonito — despudoradamente bonito, talvez — e que agora ultrapassava a piedade ou o terror.

E Emily Brent, plácida e virtuosa, sentada tricotando.

No terraço principal, o juiz Wargrave estava sentado, encolhido, ar sério e compenetrado, com a cabeça enterrada nos ombros, numa cadeira oval de couro.

Quando Vera olhou para ele, viu distintamente um homem no banco dos réus — um moço louro, de olhos azuis, com uma expressão desnorteada e assustada. Edward Seton. E, com a imaginação, via o juiz erguendo as velhas mãos para ajeitar na cabeça o capelo e começar a pronunciar a sentença...

Depois de algum tempo, Vera caminhou vagarosamente para o mar. Andou na direção da extremidade da ilha, onde estava sentado um velho com os olhos fitos no horizonte.

Sentindo sua aproximação, o general Macarthur agitou-se. Virou a cabeça — em seus olhos havia uma bizarra mistura de interrogação e apreensão. Aquilo a sobressaltou. Por um ou dois minutos, o velho encarou-a fixamente.

Ela pensou:

"Que esquisito. É quase como se ele soubesse..."

— Ah! É a senhorita! — disse ele. — A senhorita veio...

Vera sentou-se ao lado dele.

— O senhor gosta de ficar aqui, olhando para o mar?

Ele balançou a cabeça com um movimento suave e respondeu:

— Sim. É um lugar agradável. É um bom lugar, eu acho, para esperar.

— Esperar? — ecoou Vera, energicamente. — O que é que o senhor está esperando?

A resposta veio numa voz repleta de candura:

— O fim. Mas creio que a senhorita já sabe disso, não? É verdade, não é? Nós todos estamos esperando o fim.

— O que o senhor quer dizer? — perguntou ela, com voz insegura.

O general Macarthur respondeu em tom grave:

— *Nenhum de nós vai sair desta ilha*. Esse é o plano. A senhorita sabe perfeitamente disso, é claro. O que talvez não possa compreender é o sentimento de alívio!

—Alívio? — falou Vera, espantada.

— Sim. Obviamente, a senhorita é muito jovem... ainda não chegou a isso. Mas um dia vai conhecer a sensação! O abençoado alívio, quando a gente sabe que está tudo acabado, que não precisa mais carregar o fardo. Um dia a senhorita há de sentir isso também...

Desconcertada, Vera disse, com voz rouca:

— Não estou compreendendo o senhor.

Seus dedos contraíram-se espasmodicamente. De súbito, ela sentiu medo daquele velho e tranquilo soldado.

Absorto em suas próprias meditações, ele disse:

— Veja, eu amava Leslie. Eu a amava muito...

— Leslie era sua esposa? — perguntou Vera.

— Sim, minha esposa... Eu a amava e me orgulhava muito dela. Era tão bonita... e tão alegre.

Ficou em silêncio por um ou dois minutos, depois disse:

— Sim, eu amava Leslie. Foi por isso que fiz aquilo.

Vera perguntou:

— O senhor quer dizer... — e fez uma pausa, sem completar a frase.

O general Macarthur balançou suavemente a cabeça.

— Agora já não faz muita diferença negar ou não... já não adianta mais, agora que vamos todos morrer. *Eu enviei Richmond para a morte.* Suponho que, de certo modo, tenha sido um assassinato. Curioso. *Assassinato...* eu que sempre fui um homem tão respeitador da lei! Mas naquela ocasião não me pareceu. Não tive remorso algum. "Bem feito! O desgraçado bem que merece!", foi o que pensei. Mas depois...

— Bem, e depois? — perguntou Vera, com voz severa.

O velho balançou a cabeça vagamente. Uma expressão triste e estranha invadiu seu rosto. Parecia perplexo e um pouco angustiado:

— Eu não sei. Eu... não sei. Tudo ficou diferente, sabe? Não sei se Leslie chegou a adivinhar ou sequer desconfiar... Acho que não. Mas é que eu já não podia saber o que se passava na cabeça dela, já não a conhecia mais. Ela tinha partido para muito longe, onde eu não podia alcançá-la. E depois ela morreu... e eu fiquei só...

— Só... só... — repetiu Vera, e o eco de sua voz voltou para ela dos rochedos.

O general Macarthur disse:

— A senhorita também vai ficar contente quando chegar o fim.

Vera levantou-se num relance e disse com aspereza:

— Não entendo o que o senhor está querendo dizer!

E ele:

— *Eu sei,* minha filha, *eu sei...*

— Não, não sabe, não. Não compreende absolutamente nada...

O general Macarthur fixou os olhos no mar novamente. Parecia estar alheio à presença da moça às suas costas.

Num tom muito suave e num fiapo de voz, balbuciou:

— Leslie...?

5

QUANDO BLORE VOLTOU DA CASA com uma corda enrolada no braço, achou Armstrong onde o havia deixado, fitando com os olhos fixos e arregalados as ondas lá embaixo.

Quase sem fôlego, Blore perguntou:

— Onde está mr. Lombard?

— Foi testar alguma teoria — respondeu o médico, desatentamente. — Daqui a pouco ele estará de volta. Escute uma coisa, Blore, estou preocupado.

— Eu diria que nós todos estamos preocupados.

O médico sacudiu a mão, num gesto de impaciência:

— Claro, claro! Mas não é disso que estou falando, não é nesse sentido. Estava pensando no velho Macarthur.

— O que tem ele, senhor?

Armstrong respondeu em tom sombrio:

— Estamos procurando um louco. O que me diz de Macarthur?

Incrédulo, Blore perguntou:

—Acha que ele é um homicida?

Armstrong respondeu em tom de dúvida:

— Eu não diria isso, não chegaria a tanto. Nem por um instante. Mas, obviamente, não sou especialista em doenças mentais. Ainda não tive a oportunidade de conversar de verdade com ele — não o estudei desse ponto de vista.

Foi a vez de Blore expressar sua dúvida:

— Gagá, sim! Mas eu não diria que...

Armstrong interrompeu-o com um ligeiro esforço, como um homem que cai em si.

— Provavelmente o senhor tem razão! Com mil demônios, deve haver alguém escondido nesta ilha! Ah, aí vem Lombard.

Amarraram cuidadosamente a corda.

Lombard disse:

— Tentarei fazer tudo que puder, na medida do possível. Fiquem atentos para meus puxões bruscos na corda.

Depois de um ou dois minutos, enquanto os dois homens estavam olhando a progressiva descida de Lombard, Blore observou:

— Ágil como um gato, não é?

Havia algo estranho na sua voz.

— Creio que deve ter praticado um pouco de alpinismo na juventude — disse o doutor Armstrong.

— Pode ser.

Houve um silêncio, e o ex-inspetor disse:

— Contudo, é um sujeito bem esquisito. Sabe o que eu penso?

— O quê?

— Há alguma coisa de errado com ele. Ele não é de confiança!

— Em que sentido? — perguntou Armstrong, em tom de dúvida.

Blore soltou um grunhido, depois disse:

— Não sei exatamente. Mas eu não confiaria nem um pouco nele.

O doutor Armstrong o cortou:

— Suponho que ele tenha levado uma vida aventurosa.

Blore disse:

— Aposto que algumas de suas aventuras tiveram de ser mantidas em sigilo, de tão escabrosas. — Fez uma pausa, depois continuou: — Por acaso o doutor trouxe consigo um revólver?

Armstrong encarou-o, de olhos arregalados.

— Eu? Bom Deus, não! Por que eu faria isso?

— Ora, e por que o senhor Lombard trouxe um revólver?

Armstrong respondeu com ar incerto:

— Acho que... por hábito.

Blore bufou com desdém.

Um súbito puxão foi dado na corda. Por alguns instantes, os dois estiveram com as mãos ocupadas. Dali a pouco, quando a tensão da corda relaxou, Blore prosseguiu:

— Existem hábitos *e* hábitos! Não há problema nenhum se mr. Lombard leva consigo um revólver para as selvas e cafundós, juntamente com um fogareiro Primus, um saco de dormir e uma provisão de pó repelente. Tudo bem! Mas o hábito não faria com que ele trouxesse o equipamento todo para cá! É só nos livros que as pessoas andam sempre armadas de revólver como se fosse a coisa mais normal do mundo.

O doutor Armstrong balançou a cabeça, perplexo.

Os dois homens se inclinaram para observar os movimentos de Lombard. A busca fora completa e, de imediato, ambos puderam ver que tinha sido uma tarefa inútil. Em pouco tempo Lombard surgiu na borda do penhasco. Enxugou a testa banhada em suor e disse:

— Bem, estamos em apuros. Se é que existe algum esconderijo, ou está na casa ou não está em lugar algum.

6

A CASA FOI FACILMENTE REVISTADA. Começaram pelos anexos, depois voltaram a atenção para o interior propriamente dito; em seu trabalho de busca, contaram com o auxílio da fita métrica de mrs. Rogers, descoberta no armário da cozinha. Mas não havia espaços secretos ou inexplicados. Tudo era simples, direto e honesto, uma construção moderna sem esconderijos. Primeiro investigaram o andar térreo. Ao subirem para os quartos de dormir, viram, pela janela do patamar, que Rogers levava uma bandeja de coquetéis para o terraço.

— Que criatura admirável, o bom criado — comentou Philip Lombard, alegremente. — Continua trabalhando, impassível.

— Rogers é um mordomo de primeira, é preciso dizer! — disse Armstrong, em tom de gratidão e apreço.

Blore acrescentou:

— A mulher dele também era uma ótima cozinheira. Aquele jantar de ontem à noite...

Entraram no primeiro quarto.

Cinco minutos mais tarde, entreolhavam-se no patamar. Ninguém escondido, nenhum esconderijo possível.

Blore apontou:

— Há uma escadinha aqui.

O doutor Armstrong observou:

— Leva ao quarto dos empregados.

Blore teorizou:

— Deve haver um espaço embaixo do telhado — para cisternas, reservatórios de água etc. É a melhor hipótese, e a única possibilidade!

E então, quando estavam ali reunidos, ouviram um ruído lá em cima. Um leve e furtivo som de passos.

Todos ouviram. Armstrong apertou o braço de Blore. Lombard ergueu um dedo admonitório.

— Quietos, escutem.

O ruído se repetiu — o barulho quase imperceptível de alguém caminhando lá em cima, na ponta dos pés.

— Está no quarto — cochichou Armstrong. — O quarto em que se encontra o corpo de mrs. Rogers.

Blore também cochichou:

— É claro! O melhor esconderijo que ele poderia ter escolhido! Provavelmente ninguém vai lá. Mas, agora, façam o maior silêncio possível.

Os três homens se esgueiraram pela escada, de mansinho.

Fizeram uma pausa no pequeno patamar diante da porta do dormitório. Sim, havia alguém no quarto. Ouviu-se um ligeiro estalido no interior do aposento.

Blore sussurrou:

— Agora.

Abriu a porta de supetão e precipitou-se no quarto, seguido de perto pelos outros dois.

Repentinamente, todos estacaram.

Ali dentro estava Rogers, com as mãos cheias de roupas.

7

BLORE FOI O PRIMEIRO A SE RECOMPOR. Depois disse:

— Desculpe... hã... Rogers. Ouvimos alguém caminhando aqui dentro, e pensamos... bem...

Nem sequer terminou a frase.

Rogers tomou a palavra:

— Peço aos senhores que me perdoem. Eu estava mudando minhas coisas. Acho que não haverá objeção se eu ocupar um dos quartos de hóspedes vagos no andar de baixo. O menor de todos.

O mordomo dirigia a palavra a Armstrong, que respondeu:

— Claro, claro. Vá em frente, continue a sua mudança.

O médico evitava olhar para o corpo que jazia estendido na cama, amortalhado com um lençol.

Rogers agradeceu:

— Muito obrigado, senhor.

Saiu do quarto com os braços carregados de pertences e desceu a escada para o andar inferior.

Armstrong foi até a cama e, erguendo o lençol, olhou para o rosto tranquilo da morta. Ali já não havia mais medo. Apenas o vazio.

— Como eu queria ter trazido minhas coisas — disse Armstrong. — Gostaria muito de saber qual foi o veneno.

Depois voltou-se para os outros dois:

— Vamos acabar logo com isso e completar nossa busca. Estou com o pressentimento de que não vamos encontrar nada.

Enquanto pelejava com os ferrolhos de um alçapão baixo, Blore disse:

— Esse camarada anda de modo muito silencioso. Um ou dois minutos atrás nós o vimos no jardim. Ninguém o ouviu subindo as escadas.

Lombard tentou explicar:

— Suponho que justamente por esse motivo é que pensamos que havia um estranho andando pelo quarto.

Blore desapareceu numa escuridão cavernosa. Lombard tirou do bolso uma lanterna e seguiu-o.

Cinco minutos mais tarde, os três homens juntaram-se num patamar superior, trocando olhares intrigados. Estavam os três sujos, cobertos de teias de aranha e com a expressão bastante mal-humorada.

Não havia ninguém na ilha a não ser eles, os oito que restavam.

1

PAUSADAMENTE, LOMBARD FALOU:

— Então estávamos enganados, enganados o tempo todo! Criamos um pesadelo de superstição e fantasia, tudo por causa de uma coincidência de duas mortes!

Com ar grave, Armstrong disse:

— No entanto, como todos sabem, o argumento continua sendo válido. Ora, diabos, eu sou médico, sei alguma coisa a respeito de suicidas. Anthony Marston não era do tipo suicida.

Em tom de dúvida, Lombard arriscou:

— Suponho que não poderia ter sido um acidente?

Blore bufou, numa atitude cética.

— Mas que tipo de maldito acidente esquisito!

Houve uma pausa, depois Blore falou:

— Já a mulher... — e parou.

— Mrs. Rogers?

— Sim. É possível que, no caso dela, tenha sido um acidente?

Philip Lombard perguntou:

— Um acidente? Mas em que sentido, de que maneira?

Blore pareceu ligeiramente embaraçado. Seu rosto cor de tijolo adquiriu um matiz um pouco mais escuro. Só a custo conseguiu falar, como se vomitasse as palavras:

— Veja uma coisa, doutor, o senhor deu a ela alguma droga para tomar, não deu?

Armstrong encarou-o, surpreendido:

— Droga! O que está querendo dizer?

— Ontem à noite. O senhor mesmo disse que deu a ela alguma coisa para fazê-la dormir?

— Oh, isso sim. Um sedativo inofensivo.

— E o que foi, exatamente?

— Uma dose fraca de trional. Um preparado totalmente inócuo.

Blore ficou ainda mais vermelho e disse:

— Escute uma coisa — não vou medir as palavras —, o senhor não deu a ela uma dose excessiva, deu?

O doutor Armstrong ficou enfurecido:

— Não sei o que o senhor está querendo dizer.

Blore insistiu:

— É possível, ou não é, que o senhor tenha cometido um engano? Essas coisas acontecem de vez em quando.

Armstrong levantou a voz, ríspido:

— Não fiz nada disso. A sugestão é ridícula. — Fez uma pausa, depois acrescentou, num tom frio e sarcástico: — Ou o senhor está insinuando que dei a ela uma dose excessiva de propósito?

Lombard apressou-se a intervir:

— Escutem, os dois, é preciso manter a calma. Não vamos começar a fazer acusações a esmo.

Carrancudo, Blore retrucou:

— Apenas sugeri que o doutor podia ter cometido um engano.

O doutor Armstrong abriu um sorriso forçado, mostrando os dentes numa expressão risonha um tanto sem graça, e disse:

— Médicos não podem se dar ao luxo de cometer enganos desse tipo, meu amigo.

Blore disse deliberadamente:

— Não seria o primeiro que o senhor cometeu, se acreditarmos no que disse aquele disco no gramofone!

Armstrong ficou pálido. Furioso, encarou Blore e disparou:

— Qual é o sentido dessa sua postura ofensiva? Estamos todos no mesmo barco. Temos de remar juntos. E o que o senhor me diz então daquele seu pequeno perjúrio?

Blore deu um passo à frente, de punhos cerrados. Numa voz intensa, disse:

— Perjúrio, que nada, maldito seja! Isso é uma mentira infame! Pode até tentar calar-me, mr. Lombard, mas há coisas que eu quero saber — e uma delas diz respeito ao senhor!

Lombard ergueu as sobrancelhas:

— A mim?

— Sim. Quero saber por que razão o senhor trouxe um revólver para uma agradável visita social.

Lombard disse:

— Quer mesmo saber, é?

— Sim, quero, sim, mr. Lombard.

Inesperadamente, Lombard soltou um comentário jocoso:

— Sabe de uma coisa, Blore, o senhor não é tão imbecil quanto aparenta ser.

— Talvez. Mas e o revólver?

Lombard abriu um sorriso afável.

— Eu trouxe um revólver porque achei que teria algum problema.

Em tom de desconfiança, Blore disse:

— O senhor não nos disse isso ontem à noite.

Lombard confirmou com a cabeça.

— Estava escondendo alguma coisa de nós?

— De certa maneira, sim.

— Ora, explique-se agora, então. Desembuche logo de uma vez!

Lentamente, Lombard começou a falar:

— Deixei que todos pensassem que eu tinha sido convidado para vir aqui da mesma maneira que a maioria dos outros. Não é exatamente a verdade. O fato é que fui procurado por um judeu — Morris, esse era o nome dele. Ele me ofereceu cem guinéus para vir para cá, ficar de olhos bem abertos e prestar atenção a tudo; disse que eu tinha reputação de ser um homem de utilidade em situações arriscadas.

— E? — insistiu Blore, morrendo de impaciência.

Lombard abriu um sorriso largo, arreganhando os dentes:

— É só.

O doutor Armstrong tomou a palavra:

— Mas certamente ele disse mais do que isso?

— Oh, não disse, não. Fechou-se em copas. Era pegar ou largar, palavras dele. Eu estava em dificuldades financeiras, por isso aceitei.

Blore ainda não parecia convencido:

— Por que não nos contou isso tudo ontem à noite?

— Meu caro... — Lombard encolheu eloquentemente os ombros —, como eu poderia saber se ontem à noite era ou não precisamente a eventualidade a qual fui chamado a enfrentar? Fiquei na minha, mantive a discrição e inventei uma história neutra, que não comprometesse minha posição.

Astutamente, o doutor Armstrong fez uma pergunta:

— Mas agora... mudou de ideia?

A expressão no rosto de Lombard mudou. Ficou mais sombria, mais dura. O semblante se petrificara. O sorriso congelara.

— Sim — disse ele. — Agora acredito que estou no mesmo barco que os senhores todos. Aqueles cem guinéus foram apenas a isca que mr. Owen usou para me fazer entrar na ratoeira junto com os senhores.

Diminuiu a velocidade do discurso:

— *Pois estamos numa ratoeira*, isso posso jurar! A morte de mrs. Rogers! A de Tony Marston! Os soldadinhos que desaparecem da mesa de jantar! Oh! Sim, nessa armadilha dá para ver claramente a mão do mr. Owen — *mas, com mil diabos, onde está o próprio mr. Owen?*

Lá embaixo, uma pancada solene no sino anunciou o almoço.

2

ROGERS ESTAVA DE PÉ, à porta da sala de jantar. Quando os três homens desceram a escada, ele deu um ou dois passos à frente. Depois, numa voz baixa e angustiada, disse:

— Espero que o almoço esteja satisfatório. Há presunto frio, língua fria, e cozinhei algumas batatas. Também há queijo, biscoitos e compotas enlatadas.

Lombard disse:

— Parece bom. Como estão nossos estoques de mantimentos? Ainda duram algum tempo, então?

— Há bastante comida enlatada, senhor. A despensa está bem abastecida. É uma necessidade, diria eu, senhor, numa ilha em que se pode ficar isolado da terra firme durante um período considerável.

Lombard assentiu com a cabeça.

Enquanto seguia os três homens sala de jantar adentro, Rogers murmurou:

— O que me preocupa é o fato de Fred Narracott não ter dado as caras hoje. É uma circunstância singularmente infeliz, eu diria.

— Sim — concordou Lombard —, a expressão "singularmente infeliz" define muito bem a situação.

Miss Brent entrou na sala. Tinha acabado de derrubar um novelo de lã e estava enrolando cuidadosamente a ponta.

Ao sentar-se à mesa, ela comentou:

— O tempo está mudando. O vento ficou bastante forte e o mar está encrespado.

O juiz Wargrave entrou. Andava a passos lentos e medidos. De sob as espessas sobrancelhas, lançou olhares dardejantes para os outros ocupantes da sala e comentou:

— Os senhores tiveram uma manhã bastante agitada.

Em sua voz havia traços de um leve prazer malicioso.

Vera Claythorne precipitou-se sala adentro, um pouco ofegante.

— Desculpem-me se os fiz esperar — apressou-se em dizer. — Estou atrasada?

Emily Brent respondeu:

— A senhorita não é a última. O general ainda não chegou.

Sentaram-se todos à mesa.

Rogers dirigiu-se à miss Brent.

— Vai começar, senhorita, ou prefere esperar?

Vera respondeu pela outra:

— O general Macarthur está sentado lá embaixo, à beira-mar. Não creio que ele tenha ouvido o sino e, de qualquer modo — hesitou —, parece-me que está um pouco distraído hoje.

Solícito, Rogers disse:

— Vou descer e informá-lo de que o almoço está pronto.

Armstrong pôs-se de pé, num salto.

— Eu vou. Podem começar a comer.

Saiu da sala. Às suas costas, ouviu a voz de Rogers:

— Aceita língua fria ou presunto frio, senhorita?

3

PARA AS CINCO PESSOAS SENTADAS em torno da mesa, parecia difícil encetar uma conversa. Lá fora, súbitas rajadas de vento se anunciavam e morriam.

Um tanto arrepiada, Vera previu:

— A tempestade está a caminho.

Blore deu sua pequena contribuição, comentando em tom ameno:

— Ontem, no trem de Plymouth, havia um senhor já idoso, marujo experimentado, que insistia que ia haver tormenta. É extraordinário como esses velhos lobos-do-mar conhecem o tempo.

Rogers rodeava a mesa, recolhendo os pratos vazios.

De súbito, com a louça ainda nas mãos, estacou.

Numa voz estranha e amedrontada, anunciou:

— Vem alguém correndo...

Todos puderam ouvir passos apressados no terraço.

Naquele mesmo instante, todos já sabiam, sem que ninguém tivesse dito...

Como se por comum acordo, todos se puseram em pé e ficaram olhando fixamente para a porta.

O doutor Armstrong apareceu, resfolegando:

— O general Macarthur... — começou a falar, quase sem fôlego.

— Está morto! — foi a voz de Vera que explodiu, repentinamente, arrematando a frase do médico.

Armstrong confirmou o que todos já sabiam:

— Sim, está morto...

Houve um silêncio, um longo silêncio.

Sete pessoas entreolhavam-se, sem conseguir encontrar palavra alguma para dizer.

4

A TEMPESTADE IRROMPEU NO EXATO momento em que o corpo do velho era trazido e passava pela porta.

Os outros assistiam à cena de pé, no saguão.

Ouviu-se um sibilar repentino, e logo depois um rugido — era a chuva que desatava a cair.

Enquanto Blore e Armstrong subiam a escada com o seu fardo, Vera Claythorne virou-se de repente e entrou na sala de jantar deserta.

A sala estava como a haviam deixado. A sobremesa ainda estava no aparador, intacta e pronta para ser servida.

Vera andou até a mesa. Estava ali havia um ou dois minutos, quando Rogers entrou silenciosamente.

O mordomo teve um sobressalto ao ver a moça. Depois, apenas com o olhar, fez uma pergunta.

— Oh! Senhorita... eu... eu só vim para ver se...

Numa voz aguda e ríspida, que surpreendeu a si mesma, Vera disse:

— Você tem toda razão, Rogers. Olhe e veja por si próprio. *Só restam sete...*

5

O CORPO DO GENERAL MACARTHUR fora colocado na sua cama.

Depois de fazer um último exame, Armstrong saiu do quarto e desceu a escada. Encontrou os outros reunidos na sala de estar.

Miss Brent estava fazendo tricô. Vera Claythorne estava junto à janela, olhando a chuva que caía, sibilante. Blore estava sentado numa cadeira, imóvel e empertigado, com as mãos pousadas nos joelhos. Lombard, irrequieto, andava de um lado para o outro. E, no fundo do cômodo, o juiz Wargrave estava sentado numa enorme poltrona estofada.

Os olhos do velho, até então semicerrados, abriram-se quando o médico entrou. Numa voz clara e penetrante, o juiz perguntou:

— Então, doutor?

Armstrong estava muito pálido, a cara branca e desfeita:

— Não se trata de parada cardíaca ou coisa parecida. Macarthur foi golpeado na nuca com uma boia ou outro objeto desse gênero.

A sala foi tomada por um burburinho, mas logo a voz cristalina do juiz impôs-se mais uma vez:

— O senhor achou a arma que foi efetivamente usada?

— Não.

— Contudo, está seguro do que afirma?

— Absolutamente seguro.

O juiz Wargrave falou em tom sereno:

— Agora sabemos exatamente onde estamos.

Já não havia dúvida sobre quem estava no comando da situação. Durante aquela manhã, Wargrave ficara sentado encolhido na sua cadeira, no terraço, deliberadamente afastado de toda atividade exterior. Agora, assumia as rédeas com a facilidade nascida de um longo hábito de autoridade. Definitivamente, era como se presidisse o tribunal.

O magistrado pigarreou e assumiu mais uma vez a palavra:

— Esta manhã, cavalheiros, enquanto eu estava sentado no terraço, observei as suas atividades. Pouca dúvida podia haver quanto a seu propósito. Os senhores estavam revistando a ilha em busca de um assassino desconhecido?

— Exatamente isso, senhor — respondeu Philip Lombard.

O juiz continuou:

— Sem dúvida, os senhores chegaram à mesma conclusão que eu, isto é, que a morte de Anthony Marston e a de mrs. Rogers não foram acidentais nem foram suicídios. Não resta dúvida de que também chegaram a alguma conclusão quanto ao propósito de mr. Owen em nos atrair para esta ilha?

Blore exclamou em voz roufenha:

— Ele é um louco! Um doido varrido!

O juiz tossiu:

— Isso é quase certo. Mas pouco afeta a questão. Nossa preocupação principal é a seguinte: salvar nossa vida.

Armstrong falou em voz trêmula:

— Não há ninguém nesta ilha, eu afirmo. *Ninguém!*

O juiz acariciou o queixo.

Com voz gentil e quase sorridente, apresentou seu argumento:

— Não no sentido que o senhor quer dizer. Cheguei a essa conclusão hoje de manhã. Eu poderia ter dito aos senhores que sua busca se revelaria infrutífera. Porém, estou fortemente inclinado a acatar a opinião de que "mr. Owen" (para chamá-lo pelo nome que ele próprio se atribuiu) *está* de fato na ilha. Está, sim. Dado o plano em questão, que nada mais é do que a execução da justiça sobre determinados indivíduos por crimes que estão fora do alcance da lei instituída, *só havia um meio de colocar tal plano em prática.* Só havia uma maneira pela qual mr. Owen poderia vir à ilha. Está tudo perfeitamente claro. *Mr. Owen é um de nós...*

6

— OH, NÃO, NÃO, NÃO...

Foi Vera que perdeu o controle e soltou uma expressão de angústia, quase um lamento. O juiz olhou para ela com expressão penetrante. E fez um comentário certeiro:

— Minha cara moça, este não é o melhor momento para se recusar a encarar os fatos. Todos nós estamos correndo grave perigo. Um de nós é U. N. Owen. E não sabemos quem. Das dez pessoas que vieram para esta ilha, três estão definitivamente isentas de qualquer suspeita: já não podemos mais desconfiar de Anthony Marston, de mrs. Rogers e do general Macarthur. Restam sete de nós. Dessas sete pessoas, uma é, se é que posso me expressar dessa maneira, um soldadinho falso.

O juiz fez uma pausa e olhou em torno:

— Posso concluir que todos concordam comigo?

Armstrong disse:

— Isso é fantástico, mas suponho que o senhor esteja certo.

Foi a vez de Blore falar:

— Sem sombra de dúvida. E, se me perguntarem, tenho uma ideia muito boa...

Com um gesto abrupto de mão, o juiz interrompeu-o e depois disse tranquilamente:

— Daqui a pouco chegaremos lá. No momento, tudo que desejo estabelecer é que entramos num consenso quanto aos fatos.

Emily Brent, ainda tricotando, tomou a palavra:

— Seu argumento parece lógico. Concordo que um de nós está possuído por um demônio.

Vera murmurou:

— Não posso acreditar... não posso...

Wargrave pediu a opinião de Lombard:

— Lombard?

— Concordo, senhor, concordo plenamente.

Wargrave balançou a cabeça, com ar satisfeito:

— Agora passemos a examinar os indícios. Para começar: existe algum motivo para suspeitarmos de alguém em particular? Mr. Blore, o senhor tem, creio eu, alguma coisa a dizer?

Blore, que respirava pesadamente, disse:

— Lombard tem um revólver. Ele não falou a verdade ontem à noite. Ele próprio admite.

Philip Lombard sorriu, desdenhosamente:

— Acho que é melhor explicar de novo.

E foi o que fez, desta vez contando a história de maneira breve e sucinta.

A reação de Blore foi hostil:

— E como o senhor prova isso? Não há nada para corroborar sua história.

O juiz tossiu e disse:

— Infelizmente, estamos todos nessa situação. Cada um aqui só tem a própria palavra como garantia do que afirma.

Inclinou-se para a frente e continuou:

— Nenhum dos senhores entendeu ainda a tremenda estranheza dessa situação. A mim me parece que só existe uma linha de conduta a seguir: há algum de nós, qualquer um, que se pode eliminar definitivamente da lista de suspeitos, com base nos indícios em nosso poder?

O doutor Armstrong foi rápido na resposta:

— Sou um profissional bem conhecido. A mera ideia de que possa recair sobre mim alguma suspeita de...

Novamente um gesto de mão do juiz deteve o incauto que tentava fazer um aparte, antes mesmo de terminar a frase. O juiz Wargrave retomou a palavra, na sua voz clara e fina:

— Eu também sou uma pessoa bastante conhecida! Mas isso, meu caro senhor, prova menos que nada! Não seria a primeira vez que um médico endoidece. E de quando em quando juízes também ficam loucos. E a mesma coisa — acrescentou, olhando para Blore — acontece com policiais!

Lombard disse:

— Em todo caso, suponho que o senhor deixará as mulheres fora disso.

O juiz ergueu as sobrancelhas, gesto acompanhado por uma resposta no famoso tom "ácido" que os advogados conheciam tão bem:

— O senhor pretende afirmar que as mulheres não estão sujeitas à loucura ou a impulsos homicidas?

Irritado, Lombard respondeu:

— Claro que não. Mas, mesmo assim, me parece pouco provável que...

Interrompeu a frase no meio. Com a mesma voz fina e azeda, o juiz Wargrave dirigiu-se a Armstrong:

— Suponho, então, doutor Armstrong, que uma mulher não seria fisicamente capaz de desferir o golpe que matou o pobre Macarthur?

O médico respondeu calmamente:

— Perfeitamente capaz, desde que tivesse em mãos uma arma apropriada, como um porrete ou um cassetete de borracha.

— Isso não exigiria um emprego desmedido de força?

— Não, absolutamente não.

Meneando e retorcendo seu pescoço de tartaruga, o juiz disse:

— As outras duas mortes resultaram da administração de drogas. Isso, ninguém pode refutar, poderia ter sido feito facilmente por qualquer pessoa, mesmo se fosse a mais fraca e frágil do mundo.

Furiosa, Vera esbravejou:

— Acho que o senhor está louco!

Os olhos do juiz voltaram-se lentamente, até pousar sobre ela. Deixava entrever no olhar impassível que era um homem bastante acostumado a pesar a humanidade na balança. Vera pensou:

— Ele me examina como se eu fosse... como se eu fosse um espécime. E... — a ideia que passou por sua mente era para ela uma verdadeira surpresa — ele não gosta muito de mim!

Medindo as palavras, o juiz disse:

— Minha cara moça, procure refrear suas emoções. Não estou acusando a senhorita. — E fez uma reverência para miss Brent. — Espero, senhorita, que não esteja ofendida pela minha insistência em dizer que todos nós somos igualmente suspeitos?

Emily Brent continuava tricotando. Nem sequer levantou os olhos. E sua resposta veio numa voz glacial:

— A ideia de ser acusada de tirar a vida de um semelhante — para não falar da vida de três semelhantes — é, obviamente, um completo absurdo para qualquer um que conheça minimamente o meu caráter. Mas admito o fato de que todos nós aqui somos estranhos uns aos outros e que, em tais circunstâncias, ninguém pode ser eximido de culpa sem a mais cabal das provas. Como eu já disse, há um demônio entre nós.

O juiz disse:

— Então estamos todos de acordo. Não pode haver nenhum tipo de eliminação de culpa com base apenas em caráter ou posição.

Lombard perguntou:

— E quanto a Rogers?

O juiz olhou para ele, sem piscar:

— O que tem Rogers?

Lombard argumentou:

— Bem, na minha opinião, ele parece estar descartado.

— De fato, mas por que razão?

Lombard apresentou suas ideias:

— Para começar, ele não tem inteligência o bastante. Em segundo lugar, porque a mulher dele foi uma das vítimas.

Mais uma vez o juiz ergueu as espessas sobrancelhas e disse:

— No meu tempo, rapaz, tive no meu tribunal, diante de mim, vários homens acusados de ter assassinado a esposa... e foram julgados culpados.

— Oh! Concordo. Assassinar a esposa é um crime perfeitamente possível — o uxoricídio é quase natural, digamos! Mas não esta espécie em particular! Posso até acreditar que Rogers tenha liquidado a mulher por estar com medo de que ela se apavorasse e desse com a língua nos dentes, ou porque tivesse passado a detestá-la, ou porque estivesse de olho em alguma outra mulher, mais atraente e mais jovem. Mas não consigo imaginá-lo como o lunático mr. Owen, distribuindo uma justiça enlouquecida, e muito menos começando pela própria esposa, punindo-a por um crime que ambos cometeram.

Sentencioso, o juiz Wargrave disse:

— O senhor está confundindo boatos com provas. Não sabemos se Rogers e a esposa realmente conspiraram para matar a patroa deles. Isso pode ter sido uma declaração falsa, feita com o intuito de que Rogers parecesse estar na mesma posição que nós todos. O terror de mrs. Rogers ontem à noite pode ter resultado do fato de perceber que o marido estava mentalmente transtornado.

Lombard concluiu:

— Bem, como queira. U. N. Owen é um de nós. Não há exceções. Todos nós estamos qualificados.

O juiz Wargrave disse:

— Meu argumento é que não pode haver exceções baseadas em critérios como *caráter, posição ou probabilidade*. O que urge examinar agora é a possibilidade de eliminar uma ou mais pessoas, com base nos *fatos*. Em termos mais simples: há entre nós uma ou mais pessoas que não poderiam em hipótese alguma ter administrado o cianureto a Anthony Marston ou uma dose excessiva de soníferos a mrs. Rogers, e que não tivessem tido oportunidade alguma de desferir o golpe que matou o general Macarthur?

O rosto um tanto pesado de Blore iluminou-se. Ele inclinou o corpo para a frente:

— Agora, sim, o senhor está falando a minha língua! É isso mesmo! Vamos lá. No que diz respeito ao jovem Marston, acho que nada podemos fazer. Já foi sugerido que alguém, pelo lado de fora, podia ter colocado alguma coisa na borda do copo do rapaz antes que ele o enchesse pela última vez. Uma pessoa de dentro da sala podia ter feito isso com mais facilidade ainda. Não consigo me lembrar se Rogers estava aqui, mas certamente qualquer um de nós poderia ter feito isso.

Após uma pausa, Blore continuou:

— Agora vejamos o caso de mrs. Rogers. Examinando a situação, os que estão na berlinda são o marido e o doutor. Qualquer um dos dois poderia facilmente ter feito a coisa, num piscar de olhos...

De um salto, Armstrong pôs-se de pé. Estava tremendo:

— Eu protesto! Isso é absolutamente despropositado! É absurdo! Juro que a dose que dei à mulher era perfeitamente...

— Doutor Armstrong.

A voz miúda e azeda do juiz tinha o poder de coagir e constranger.

O médico deteve-se de repente, no meio da frase. A voz fria prosseguiu:

— Sua indignação é muito natural. Contudo, o senhor deve admitir que é preciso encarar os fatos. Tanto o senhor como Rogers poderiam ter administrado uma dose fatal, com a maior facilidade. Vamos considerar agora a posição das outras pessoas presentes. Que oportunidade tivemos o inspetor Blore e eu, que ocasião favorável tiveram miss Brent, miss Claythorne ou mr. Lombard de administrar o veneno? Algum de nós pode ser completa e definitivamente eliminado? — Fez uma pausa: — Acho que não.

Vera, enfurecida, defendeu-se:

— Eu não cheguei nem perto da mulher! Todos podem confirmar isso sob juramento.

Depois de esperar um momento, o juiz Wargrave disse:

— Até onde sei e até onde posso confiar em minha memória, os fatos são os seguintes — por favor, alguém pode me corrigir se eu vier a cometer algum equívoco? Mrs. Rogers foi colocada no sofá por Anthony Marston, e mr. Lombard e o doutor Armstrong aproximaram-se dela. O médico pediu a Rogers que trouxesse conhaque. Seguiu-se uma discussão acerca de onde tinha vindo a voz que acabáramos de ouvir. Entramos todos na sala contígua, com exceção de miss Brent, que permaneceu nesta sala, sozinha, com a mulher inconsciente.

Emily Brent sentiu um calor intenso assomar a seu rosto, em cujas maçãs surgiu uma mancha colorida. Ela parou de tricotar e disse:

— Isso é um ultraje!

A voz miúda e sem remorsos prosseguiu:

— Quando retornamos a esta sala, miss Brent estava curvada sobre a mulher deitada no sofá.

Em tom de afronta, Emily Brent perguntou:

— O sentimento de benevolência e compaixão para com o semelhante é crime?

— Estou apenas estabelecendo os fatos — respondeu o juiz. — Então Rogers entrou na sala com o conhaque, o qual, obviamente, ele bem podia ter adulterado de antemão. A bebida foi dada à mulher, e pouco depois seu marido e o doutor Armstrong a ajudaram a acomodar-se na cama, ocasião em que o doutor deu a ela um sedativo.

Blore disse:

— Foi isso que aconteceu. Precisamente isso. O que exclui o juiz, mr. Lombard, miss Claythorne e eu.

Sua voz era alta e triunfante. O juiz Wargrave, lançando em sua direção um olhar glacial, murmurou:

— Ah, é? Será mesmo? Devemos levar em consideração *toda e qualquer eventualidade possível.*

Blore encarou-o e disse:

— Não estou entendendo.

O juiz seguiu em frente, obstinado:

— Lá em cima, mrs. Rogers está deitada na cama. O sedativo ministrado pelo doutor começa a fazer efeito. Ela está vagamente entorpecida, sonolenta e aquiescente. Suponhamos que nesse momento alguém bata à porta e entre, digamos, trazendo um comprimido ou algum remédio líquido, com a seguinte mensagem: "O doutor pediu à senhora que tome isto aqui". Não passa pela cabeça dos senhores que ela certamente teria engolido obedientemente, sem pensar duas vezes?

Houve um silêncio. Blore mexeu as pernas e franziu a testa. Philip Lombard disse:

— Não acredito nem um pouco nessa história. Além disso, nenhum de nós saiu desta sala durante horas. Marston havia morrido e tudo o mais.

O juiz disse:

— Alguém podia ter saído do quarto... mais tarde.

Lombard protestou:

— Mas então Rogers estaria lá.

O doutor Armstrong fez um movimento.

— Não — ele disse. — Rogers desceu para limpar a sala de jantar e a copa. Qualquer um poderia ter subido ao quarto da mulher sem ser visto.

— Certamente, doutor — intrometeu-se Emily Brent —, a essa altura a mulher já estaria profundamente adormecida sob o efeito da droga que o senhor havia administrado?

— Sim, é bem plausível que sim. Mas não é certeza absoluta. Não se pode dizer qual é a reação de um paciente a determinado medicamento antes de receitá-lo mais de uma vez. Às vezes há um período considerável antes de um sedativo começar a fazer efeito. Depende da idiossincrasia pessoal do paciente com relação àquela droga em particular.

Lombard não conseguiu evitar um comentário irônico:

— Mas é óbvio que o senhor *diria* isso, doutor. É bastante conveniente, não?

Mais uma vez o rosto de Armstrong escureceu de raiva.

E novamente aquela voz miúda, empedernida e impassível impediu que as palavras saíssem dos seus lábios.

— De nada adiantam recriminações. Isso é totalmente infrutífero. Temos de lidar é com os fatos. Está estabelecido, creio, que existe a possibilidade de ter ocorrido a situação que acabei de esboçar. Concordo que seu valor como probabilidade não é tão grande; contudo, por outro lado, depende de quem pode ter sido a pessoa em questão. O aparecimento de miss Brent ou de miss Claythorne com tal incumbência não teria suscitado a menor surpresa no espírito da paciente. Admito que o aparecimento da minha pessoa, de mr. Blore ou de mr. Lombard teria sido, no mínimo, incomum, mas ainda acho que a visita teria sido recebida sem despertar nenhuma suspeita verdadeira.

Blore perguntou:

— E isso nos leva... *aonde?*

7

ACARICIANDO O LÁBIO COM O DEDO, e com uma aparência bastante impassível e inumana, o juiz Wargrave disse:

— Acabamos de discutir o segundo assassinato e estabelecemos o consenso de que nenhum de nós está completamente livre de suspeitas.

O velho magistrado fez uma pausa e prosseguiu:

— Agora passamos a tratar da morte do general Macarthur, que ocorreu hoje de manhã. Peço a todos que julgam ter um álibi que o declarem explicitamente. De minha parte, afirmo de imediato que não tenho nenhum álibi válido. Passei a manhã inteira sentado no terraço, meditando sobre a situação singular em que todos nos encontramos.

— Estive sentado naquela cadeira durante a manhã toda, mas houve, imagino, diversos períodos em que eu não era observado por ninguém e em que teria sido possível descer até a beira-mar, matar o general e voltar para a minha cadeira. Para asseverar o fato de que não saí do terraço, só tenho minha própria palavra, mas nada posso provar. Diante das atuais circunstâncias, não é suficiente. Deve haver *prova*.

Blore disse:

— Passei a manhã toda com mr. Lombard e o doutor Armstrong. Eles poderão corroborar a informação.

O doutor Armstrong disse:

— O senhor veio até a casa para pegar uma corda.

Blore confirmou:

— Claro, vim sim. Vim e voltei imediatamente. O senhor sabe disso.

Armstrong tinha opinião ligeiramente diferente:

— O senhor demorou bastante...

Blore enrubesceu. Com o rosto afogueado e vermelho como um pimentão, disse:

— Mas que diabo o senhor quer dizer com isso, doutor Armstrong?

O médico foi enfático:

— Eu disse apenas que o senhor demorou bastante.

— Ora, eu tinha de encontrar uma corda, não tinha? O senhor acha que dá para providenciar um rolo de corda numa fração de segundos?

O juiz Wargrave disse:

— Durante a ausência do inspetor Blore, os dois cavalheiros permaneceram juntos?

— Certamente — respondeu Armstrong, com violência. — Quer dizer, Lombard sumiu durante alguns minutos. Eu fiquei onde estava.

Lombard abriu um sorriso e disse:

— Eu queria testar as possibilidades de mandar sinais com um espelho para a terra firme. Afastei-me porque queria encontrar o melhor lugar. Minha ausência não durou mais do que um ou dois minutos.

Armstrong assentiu com a cabeça.

— É verdade. Não demorou o tempo suficiente para assassinar alguém, posso garantir.

O juiz perguntou:

— Algum dos senhores consultou o relógio?

— Bem, não.

Philip Lombard disse:

— Eu estava sem relógio.

Calmamente, o juiz refletiu:

— "Um ou dois minutos" é uma expressão vaga.

Nesse instante sua atenção voltou-se para a figura ereta da mulher, entretida com o tricô no colo:

— Miss Brent?

Emily Brent atendeu:

— Dei um passeio com miss Claythorne até o cume da ilha. Depois me sentei ao sol, no terraço.

O juiz comentou:

— Não me lembro de ter visto a senhorita ali.

— Não, eu estava no canto leste da casa, no lado do sol. Lá pude ficar abrigada do vento.

— E ali a senhorita ficou até a hora do almoço?

— Sim.

— Miss Claythorne?

Vera respondeu com prontidão e clareza:

— Hoje de manhã, bem cedo, estive com miss Brent. Depois caminhei a esmo aqui e ali. Mais tarde desci e falei com o general Macarthur.

O juiz Wargrave interrompeu-a, perguntando:

— A que horas foi isso?

Pela primeira vez Vera demonstrou incerteza, ficou um tanto confusa e agitada e deu uma resposta vaga:

— Não sei. Cerca de uma hora antes do almoço, acho, ou pode ter sido antes.

Foi a vez de Blore perguntar:

— Isso foi antes ou depois de termos falado com ele?

— Não sei. Ele... ele estava muito esquisito.

Vera sentiu uma tremedeira percorrer todo o seu corpo.

— Em que sentido ele estava esquisito? — quis saber o juiz.

Vera respondeu em voz baixa:

— Ele disse que nós todos íamos morrer, disse que estava à espera do fim. Ele... ele me deixou apavorada.

O juiz assentiu com a cabeça e perguntou:

— E o que a senhorita fez depois disso?

— Voltei para a casa. Depois, pouco antes do almoço, saí de novo para os fundos e subi a encosta atrás da casa. Estive inquieta durante o dia todo. Foi terrível.

O juiz Wargrave afagou o queixo e disse:

— Ainda falta Rogers, embora eu duvide que seu depoimento possa acrescentar alguma coisa à nossa soma de conhecimentos.

Intimado a comparecer perante o tribunal, Rogers teve muito pouco a contar. Estivera a manhã inteira ocupado com afazeres domésticos, com a arrumação da casa e a preparação do almoço. Tinha levado coquetéis para o terraço antes do almoço e depois subira para mudar suas coisas do sótão para o outro quarto. Não olhara uma só vez pela janela durante toda a manhã e nada tinha visto que pudesse ter alguma relação com a morte do general Macarthur. Podia jurar definitivamente que, quando servira o almoço, havia oito figurinhas de porcelana sobre a mesa.

No instante em que o mordomo concluiu o seu depoimento, a sala foi tomada pelo silêncio.

O juiz Wargrave pigarreou.

Lombard murmurou para Vera Claythorne:

— Agora chegou a hora do Relatório dos Autos do Processo!

O juiz disse:

— Investigamos as circunstâncias dessas três mortes da melhor forma que nos foi possível. Ainda que em alguns casos sejam muito pequenas as probabilidades de que certas pessoas estejam implicadas, não se pode afirmar de maneira cabal e definitiva que qualquer um de nós possa ser considerado isento de todas as suspeitas de cumplicidade. Reitero a minha convicção de que, das sete pessoas reunidas nesta sala, uma é um homicida perigoso e provavelmente insano. Não temos diante de nós nenhum indício de quem possa ser tal pessoa. Na atual conjuntura, tudo o que podemos fazer é estudar quais medidas cabíveis podemos tomar para nos comunicar com a terra firme pedindo socorro e, na eventualidade de o socorro tardar (o que é bastante provável, dado o estado do tempo), os procedimentos que devemos adotar de modo a garantir nossa segurança.

— Peço aos senhores todos que reflitam sobre isso cuidadosamente e me comuniquem quaisquer sugestões que possam vir a ter. Enquanto isso, recomendo que estejam todos alertas e de sobreaviso. Até agora o assassino teve vida fácil, uma vez que suas vítimas se mantinham ingênuas e sem levantar suspeitas. De agora em diante, nossa tarefa é suspeitar uns dos outros. Um homem prevenido vale por dois. Não corram riscos e estejam atentos ao perigo. Isso é tudo.

Philip Lombard murmurou, numa voz quase inaudível:

— Está encerrada a sessão...

1

— **O SENHOR ACREDITA NISSO?** — perguntou Vera.

Ela e Philip Lombard estavam sentados no peitoril da janela da sala de estar. Lá fora a chuva caía a cântaros e o vento uivava, com violentas rajadas que faziam tremer as vidraças.

Com um movimento suave, antes de responder, Philip Lombard jogou a cabeça um pouco de lado:

— A senhorita quer dizer se eu acredito que o velho Wargrave está certo quando diz que o criminoso é um de nós?

— Sim.

Philip Lombard falou com vagar:

— É difícil dizer. Do ponto de vista lógico, sabe, ele tem razão, e mesmo assim...

Vera completou a frase:

— E, mesmo assim, parece tudo tão inacreditável!

Philip Lombard fez uma careta.

— Essa coisa toda parece inacreditável! Mas, depois da morte de Macarthur, pelo menos de uma coisa não resta mais dúvida. Agora já não dá mais para dizer que é uma questão de acidentes ou suicídios. É definitivamente assassinato. Três assassinatos, até agora.

Vera teve um calafrio e disse:

— É como se fosse um sonho horrível. E eu insisto em sentir e pensar que coisas como essas *não podem* acontecer de verdade!

Lombard tentou ser compreensivo:

— Eu sei. Daqui a pouco vão bater à porta, e o chá da manhã será trazido.

Vera disse:

— Oh, quem me dera se isso acontecesse!

Agora o tom de voz de Philip era sombrio:

— Sim, mas não vai acontecer! Estamos todos no mesmo sonho horrível! E daqui em diante temos de manter a cautela e ficar de olhos bem abertos.

Baixando a voz, Vera perguntou:

— Se... se é mesmo um deles, qual deles o senhor acha que é?

Philip Lombard abriu um sorriso repentino e disse:

— Vejo que está excluindo nós dois, é isso? Bem, tudo certo. Sei muito bem que não sou o assassino e não suponho que haja algo de insano na senhorita. A impressão que tenho da senhorita é de uma das moças mais ajuizadas e equilibradas que já pude encontrar. Eu apostaria a minha reputação na sua sanidade mental.

Vera agradeceu com um sorrisinho meio atravessado:

— Obrigada.

Lombard reagiu:

— Ora, ora, miss Vera Claythorne, não vai retribuir o cumprimento?

Vera hesitou um instante, depois disse:

— O senhor já admitiu, não é mesmo, que não tem a vida humana na mais alta conta e que nem sequer considera a vida humana particularmente sagrada, mas mesmo assim não consigo vê-lo como... como o dono da voz daquela gravação que ouvimos no gramofone.

Lombard concordou:

— Exatamente. Se eu decidisse cometer um ou mais assassinatos, seria unicamente por aquilo que eu pudesse lucrar com meus crimes. Esse tipo de massacre em massa não é do meu feitio. Bom, então eliminamos nosso nome e nos concentramos em nossos cinco colegas prisioneiros. Qual deles é U. N. Owen? Bem, para dar um simples palpite, sem ter absolutamente nada em que basear minha suposição, eu votaria em Wargrave.

— Oh! — Vera parecia surpreendida. Depois de pensar por um ou dois minutos, ela finalmente perguntou:

— Por quê?

— Difícil dizer exatamente. Mas, para começar, ele é um velho, e por muitos anos presidiu sessões de tribunal. Ou seja, ano após ano, ele passou meses a fio atuando no papel de Deus Todo-Poderoso. Uma hora ou outra isso deve acabar subindo à cabeça de um homem. Ele fica transtornado e começa a se ver como onipotente, como alguém que detém o poder de decidir a vida e a morte — e no fim das contas é possível que o seu cérebro tenha um troço e ele queira dar um passo além e representar o papel de carrasco e juiz extraordinário.

Lentamente, Vera disse:

— Sim, suponho que seja *possível...*

Lombard perguntou:

— Em quem a senhorita votaria?

Sem nenhuma hesitação, Vera respondeu:

— Doutor Armstrong.

Lombard soltou um pequeno assobio.

— O doutor, é? Veja bem, na minha lista ele seria o último de todos.

Vera balançou a cabeça.

— Oh! Não! Duas das mortes foram por causa de veneno. Está na cara que isso é indício de que há um médico envolvido. E não dá para esquecer o fato de que a única coisa de que estamos absolutamente certos é que mrs. Rogers tomou o sonífero que ele deu a ela.

Lombard admitiu:

— Sim, é verdade.

Vera persistiu:

— Se um médico ficasse louco, demoraria muito tempo até alguém começar a suspeitar. E os médicos trabalham em excesso e vivem sob grande tensão.

Philip Lombard observou:

— Sim, mas duvido que ele possa ter matado Macarthur. Ele não teria tido tempo, durante aquele breve intervalo quando o deixei... não, a não ser que tivesse ido lá embaixo e voltado correndo feito uma lebre, e duvido que ele esteja tão em forma ou que tenha tido o treinamento físico necessário para fazer isso sem dar na cara.

Vera voltou a argumentar:

— Pode ser que ele não o tenha matado naquele momento. Teve uma oportunidade mais tarde.

— Quando?

— Quando desceu para chamar o general para o almoço.

Philip assobiou novamente, baixinho, um silvo curto e suave:

— Então a senhorita acha que foi nesse momento? Mas que sangue-frio!

Vera respondeu com impaciência:

— Que risco havia? Ele é a única pessoa aqui que tem conhecimentos de medicina. Pode jurar que o velho já estava morto havia pelo menos uma hora, e quem é que tem condições de contradizê-lo?

Philip olhou para ela, pensativo:

— Sabe de uma coisa, essa ideia é bem inteligente da sua parte. Eu me pergunto se...

2

— **QUEM É, MR. BLORE?** É o que eu quero saber. Quem é?

O rosto de Rogers contraía-se em espasmos. Suas mãos apertavam com força o trapo de couro que ele usava para lustrar.

O ex-inspetor Blore disse:

— Ah, meu rapaz, eis a questão!

— Um de nós, é o que Sua Excelência diz. Qual? É o que quero saber. Quem é esse satanás em forma humana?

— Isso — disse Blore — é o que todos nós gostaríamos de saber.

Rogers fez uma pergunta perspicaz:

— Mas mr. Blore tem uma ideia. O senhor tem uma ideia, não tem?

— Pode ser que eu tenha uma ideia — disse Blore, lentamente —, mas estou longe de ter certeza. Posso estar errado. Tudo que posso dizer é que, se eu estiver certo, a pessoa em questão é um sujeito de sangue muito frio — de extremo sangue-frio, para dizer a verdade.

Rogers enxugou o suor da testa. Em voz rouca, disse:

— Parece um sonho ruim, isso sim.

Olhando curiosamente para o mordomo, Blore disse:

— E você, tem alguma ideia, Rogers?

O mordomo balançou a cabeça e falou com a mesma voz roufenha:

— Eu não sei. Eu não sei absolutamente nada. E isso é o que está me fazendo morrer de medo. Não ter nenhuma ideia...

3

COM VIOLÊNCIA, O DOUTOR ARMSTRONG vociferou:

— Temos de sair daqui, temos de sair, temos de sair! A qualquer custo!

Pensativo, o juiz Wargrave olhava pela janela do salão de fumar. Brincava com o cordão dos seus óculos, quando disse:

— Obviamente, eu não tenho a menor intenção de passar por profeta meteorológico. Mas, mesmo que alguém em terra firme soubesse que estamos em sérios apuros, eu diria que é bastante improvável que um barco possa chegar até aqui em menos de vinte e quatro horas e, mesmo assim, isso se o vento acalmar.

O doutor Armstrong deixou pender a cabeça nas mãos e soltou um gemido. Depois disse:

— E enquanto isso todos nós corremos o risco de ser assassinados em nossa própria cama?

— Espero que não — disse o juiz Wargrave. — Tenho a intenção de tomar todas as precauções possíveis para que uma coisa como essa não aconteça.

Num rápido vislumbre, passou pela mente do doutor Armstrong o pensamento de que um velho como o juiz apegava-se à vida com muito mais tenacidade do que faria um homem mais jovem. Ao longo de sua carreira profissional, já havia se maravilhado muitas vezes diante desse fato. Ali estava ele, cerca de uns vinte anos mais novo que o juiz, e todavia com um instinto de autopreservação vastamente inferior.

O juiz Wargrave pensava:

"Assassinados em nossa própria cama! Esses médicos são todos iguais — só sabem pensar em clichês. Uma mente completamente medíocre, totalmente vulgar."

O médico disse:

— Já houve três vítimas, lembre-se disso.

— Certamente. Mas o senhor deve se lembrar de que elas não estavam preparadas para o ataque. Nós estamos precavidos.

A resposta do doutor Armstrong foi amarga:

— O que podemos fazer? Mais cedo ou mais tarde...

— Eu já acho — disse o juiz Wargrave — que há várias coisas que podemos fazer.

Armstrong disse:

— Não temos sequer ideia de quem possa ser...

O juiz acariciou o queixo e murmurou:

— Oh, eu não diria isso, sabe?

Armstrong encarou-o:

— O senhor quer dizer que sabe?

O juiz Wargrave foi cauteloso na resposta:

— No que tange a provas factuais, evidentemente necessárias num tribunal, admito que não tenho nenhuma. Mas, examinando em retrospecto o caso todo, a mim me parece que há uma pessoa em particular claramente indicada. Sim, acho que sim.

Armstrong fitou-o com os olhos arregalados. Depois disse:

— Não compreendo.

4

MISS BRENT ESTAVA NO SEU QUARTO, no andar de cima.

Pegou sua Bíblia e foi sentar-se junto à janela.

Abriu o livro. Depois de um minuto de hesitação, interrompeu a leitura, fechou as Escrituras, colocou o volume de lado e foi até a penteadeira. De uma das gavetas, tirou um caderninho de apontamentos de capa preta.

Abriu-o e começou a escrever:

— *Uma coisa terrível aconteceu. O general Macarthur morreu. (O primo dele casou-se com Elsie MacPherson.) Não há dúvida de que ele foi assassinado. Depois do almoço, o juiz fez um discurso muito interessante. Ele está convencido de que o assassino é um de nós. Isso quer dizer que um de nós está possuído por um demônio. Eu já suspeitava disso. Mas qual de nós será? Todos estão se fazendo esta mesma pergunta. Só eu sei...*

Por alguns minutos, ela ficou imóvel. Seus olhos tornaram-se vagos e enevoados. Entre seus dedos, o lápis cambaleava, ebriamente. Em maiúsculas tremidas e frouxas, ela escreveu:

— O NOME DO ASSASSINO É BEATRICE TAYLOR...

Fechou os olhos.

Subitamente, com um sobressalto, acordou. Olhou para o caderno. Com uma exclamação raivosa, riscou as letras vagas e desordenadas, quase meros rabiscos, da última frase.

Com voz quase inaudível, disse:

— Fui *eu* que escrevi isso? Fui eu? *Devo estar ficando louca...*

5

A TEMPESTADE RECRUDESCIA. O vento uivava, fustigando a parte lateral da casa.

Estavam todos na sala de estar, sentados, indiferentes, amontoados. Sub-repticiamente, vigiavam-se uns aos outros.

Quando Rogers trouxe a bandeja de chá, todos se sobressaltaram.

O mordomo perguntou:

— Posso fechar as cortinas? Para alegrar o ambiente.

O consentimento foi dado, as cortinas foram fechadas, as luzes acesas. A sala ficou mais alegre e agradável. Em parte, as sombras se dissiparam. Certamente, amanhã a tempestade teria passado e alguém viria... chegaria um barco...

Vera Claythorne perguntou:

— Vai servir o chá, miss Brent?

A mulher mais velha respondeu:

— Não, pode servir, querida. O bule é tão pesado. E eu perdi duas meadas da minha lã cinza. Que coisa mais aborrecida.

Vera caminhou até a mesa de chá. A sala foi invadida por um animado palavrório e o tilintar de porcelanas. A normalidade havia voltado.

Chá! Abençoado chá de todo dia, habitual de todas as tardes! Philip Lombard fez uma observação jovial. Blore respondeu. Bem-humorado, o doutor Armstrong contou uma história engraçada. O juiz Wargrave, que normalmente detestava chá, agora bebericava, com ar de aprovação.

Em meio a essa atmosfera tranquila, Rogers entrou.

Estava aflito. Falou nervosamente, a esmo:

— Desculpe-me, senhor, mas alguém sabe o que aconteceu com a cortina do banheiro?

Lombard ergueu a cabeça, com um arranco:

— A cortina do banheiro? Mas que diabos você quer dizer com isso, Rogers?

— Ela sumiu, senhor, simplesmente desapareceu. Eu estava percorrendo toda a casa, fechando todas as cortinas, e vi que a do lav... banheiro não estava mais lá.

O juiz Wargrave perguntou:

— Ela estava lá esta manhã?

— Oh, sim, senhor.

Blore quis saber:

— Que tipo de cortina era?

— Seda oleada escarlate, senhor. Impermeável, combinava com os azulejos escarlate.

Lombard perguntou:

— E sumiu?

— Desapareceu, senhor.

Todos se entreolharam.

Blore falou em tom severo:

— Bem... afinal de contas... e daí? É uma loucura, mas todo o resto é maluco também. De qualquer maneira, não importa. Ninguém consegue matar outra pessoa com uma cortina de seda oleada. Vamos esquecer isso. Coloquemos uma pedra no assunto.

Rogers consentiu:

— Sim, senhor, muito obrigado, senhor.

Girou o corpo sobre o calcanhar e saiu, fechando a porta atrás de si.

Mais uma vez a mortalha de medo havia caído sobre a sala.

Mais uma vez, sentindo-se ameaçados, todos vigiavam uns aos outros, trocando olhares furtivos.

6

O JANTAR FOI SERVIDO, TODOS comeram, a mesa foi tirada. Uma refeição simples à base, sobretudo, de enlatados.

Depois, na sala de estar, a tensão era quase insuportável.

Às 21h, Emily Brent pôs-se de pé, anunciando:

— Vou deitar-me.

Vera disse:

— Eu também já vou para a cama.

As duas mulheres subiram os degraus, acompanhadas por Lombard e Blore. Os dois homens pararam no topo da escada e observaram as mulheres entrando nos seus respectivos quartos e fechando a porta. Ouviram o barulho de dois ferrolhos e duas chaves girando nas fechaduras.

Com um sorriso largo, Blore disse:

— Nem é preciso aconselhar as duas a trancar as portas!

Lombard respondeu:

— Bem, de qualquer forma estão a salvo por esta noite, pelo menos!

E desceu, seguido pelo ex-inspetor.

7

UMA HORA DEPOIS, OS QUATRO homens foram para a cama. Subiram juntos a escada. Da sala de jantar, onde estava arrumando a mesa para o café da manhã, Rogers viu-os subir e ouviu-os parar no topo da escada.

Então a voz do juiz falou:

— Cavalheiros, nem preciso recomendar que tranquem suas portas.

Blore disse:

— E mais, coloquem uma cadeira sob a maçaneta, para calçar a porta. Há maneiras de abrir fechaduras por fora.

Lombard murmurou:

— Meu caro Blore, seu problema é que o senhor sabe demais!

O juiz falou em tom solene:

— Boa-noite, cavalheiros. Tomara que pela manhã possamos nos encontrar novamente, todos sãos e salvos!

Rogers saiu da sala de jantar e subiu, sorrateiramente, até o meio da escada. Viu quatro vultos entrando por quatro portas e pôs-se a escutar o ruído de quatro chaves sendo giradas e quatro ferrolhos sendo fechados.

Balançou a cabeça, num gesto de aprovação.

— Está tudo certo — resmungou.

Voltou à sala de jantar. Sim, tudo estava em ordem para a manhã seguinte. Seus olhos demoraram-se na peça de espelho no centro da mesa, com as sete figurinhas de porcelana.

Um risinho súbito transformou seu rosto. Ele murmurou:

— Vou cuidar para que hoje à noite ninguém faça nenhuma travessura.

Atravessando a sala, trancou a porta da copa. Depois andou até a outra porta, que dava para o saguão, passou a chave e enfiou-a no bolso.

Após apagar as luzes, subiu a escada, apressado, e entrou em seu novo quarto.

Ali só havia um único esconderijo possível, o alto guarda-roupa, que ele, escolado, de imediato inspecionou minuciosamente. Depois disso, Rogers trancou a porta, fechou o ferrolho e preparou-se para dormir.

Disse para si mesmo:

— Por hoje chega de brincadeiras com soldadinhos. Esta noite já cuidei de tudo...

1

PHILIP LOMBARD TINHA O HÁBITO de acordar ao romper do dia. E assim fez nesta manhã em particular. Apoiou-se sobre o cotovelo e escutou. Ainda se ouvia o vento sibilar, embora tivesse diminuído um pouco. Não ouviu nenhum ruído de chuva...

Às 8h a ventania ficou mais forte, mas Lombard não ouviu. Havia pegado no sono novamente.

Às 9h30 estava sentado na beira da cama, olhando para o relógio. Encostou-o no ouvido, e seus lábios se retraíram dos dentes, abrindo aquele curioso sorriso de lobo, bastante característico dele.

Com voz suave, disse consigo mesmo:

— Acho que chegou a hora de fazer alguma coisa a respeito disso.

Quando faltavam 25 minutos para as 10h, ele estava batendo na porta fechada do quarto de Blore.

Blore abriu-a cautelosamente. Seu cabelo estava desgrenhado, seus olhos ainda estavam turvos de sono.

Em tom afável, Philip Lombard perguntou:

— O senhor dormiu por doze horas? Bom, isso mostra que sua consciência está tranquila.

A resposta de Blore foi relutante, sonolenta e lacônica:

— O que foi?

Lombard respondeu:

— Alguém já veio acordá-lo, ou trouxe chá? Sabe que horas são?

Blore olhou por cima do ombro para um pequeno relógio de viagem à cabeceira da sua cama.

— Vinte para as dez. Nem acredito que consegui dormir tanto. Onde está Rogers?

Philip Lombard comentou:

— É o caso de responder como o eco: onde?

— Como assim? O que o senhor quer dizer com isso? — perguntou o outro, ríspido.

— Quero dizer que Rogers desapareceu. Não está no quarto dele nem em lugar algum. Não há chaleira no fogo e o fogão não foi aceso na cozinha.

Blore praguejou em voz baixa, depois disse:

— Mas onde diabos ele pode estar? Lá fora, em algum lugar da ilha? Espere um pouco enquanto visto uma roupa. Veja se os outros sabem de alguma coisa.

Philip Lombard acenou com a cabeça, aquiescendo. Caminhou ao longo da sequência de portas fechadas.

Encontrou Armstrong já de pé e quase inteiramente vestido. O juiz Wargrave, assim como Blore, teve de ser acordado. Vera Claythorne estava vestida. O quarto de Emily Brent estava vazio.

O pequeno grupo deu um giro pela casa. O quarto de Rogers, como Lombard já tinha verificado, estava desocupado. A cama dava sinais de que alguém dormira ali; a navalha, o pincel e o sabonete ainda estavam úmidos.

Lombard disse:

— Ele se levantou, com certeza.

Com uma voz baixa que ela a custo tentava fazer soar segura e firme, Vera lançou a pergunta:

— Não acham que ele está... se escondendo em algum lugar... à nossa espera?

Lombard foi categórico:

— Minha querida menina, a essa altura estou preparado para pensar qualquer coisa sobre qualquer um! Meu conselho é: vamos continuar todos juntos até encontrá-lo.

Armstrong observou:

— Ele deve estar lá fora, em algum lugar da ilha.

Blore, já vestido, mas ainda sem ter feito a barba, agora havia se juntado a eles.

— Onde foi parar miss Brent? Eis outro mistério — disse ele.

Contudo, quando chegaram ao saguão, Emily Brent entrou pela porta da frente. Vestia uma capa de chuva impermeável.

— O mar está agitado como nunca — disse ela. — Não acho que barco algum tenha condições de sair hoje.

Blore perguntou:

— Andou perambulando sozinha pela ilha, miss Brent? Não percebe que isso é algo excessivamente tolo e insensato?

Emily Brent respondeu:

— Mr. Blore, posso garantir que fui extremamente cautelosa.

Blore grunhiu, depois disse:

— Por acaso viu Rogers?

Miss Brent franziu as sobrancelhas:

— Rogers? Não, ainda não o vi esta manhã. Por quê?

Barbeado, vestido e com os dentes postiços em posição, o juiz Wargrave desceu a escada. Dirigiu-se para a porta aberta da sala de jantar e disse:

— Ah, estou vendo que a mesa foi posta para o café.

Lombard observou:

— Pode ser que ele tenha posto a mesa ontem à noite.

Todos entraram na sala, olhando para os pratos e talheres cuidadosamente dispostos. Para a fileira de xícaras no aparador. Para as esteiras de feltro, prontas para a chaleira ou a cafeteira com torneira.

Foi Vera quem viu primeiro. Agarrou o braço do juiz, e o aperto forte de seus dedos atléticos fez o velho magistrado estremecer.

Ela soltou um grito:

— Os soldados! Olhem!

Havia apenas seis figuras de porcelana no centro da mesa.

2

ELES O ENCONTRARAM POUCO DEPOIS.

Estava na pequena lavanderia que ficava do outro lado do pátio. Ali estivera cortando gravetos, em preparação para acender o fogão. A machadinha ainda estava em sua mão. Um machado maior, bem mais pesado, estava encostado à porta... na parte de metal, uma mancha vermelho-escura. A nódoa na cunha do machado correspondia exatamente ao profundo ferimento na parte de trás da cabeça de Rogers...

3

— **ESTÁ PERFEITAMENTE CLARO** — disse Armstrong. — O assassino deve ter se aproximado sorrateiramente por trás dele, erguido o machado e desferido um único golpe na sua cabeça, quando ele estava curvado, incapaz de esboçar qualquer reação.

Blore estava entretido examinando o cabo do machado e espalhando farinha com uma peneira de cozinha.

O juiz Wargrave perguntou:

— O assassino teria de ser muito forte, doutor?

Armstrong respondeu em tom grave:

— Uma mulher poderia ter feito isso, se é o que o senhor quer dizer.

Lançou um rápido golpe de vista à sua volta. Vera Claythorne e Emily Brent tinham ido para a cozinha. — A moça poderia ter feito isso com facilidade, ela é do tipo atlético. Na aparência, a senhorita Brent parece frágil, mas invariavelmente esse tipo de mulher possui muita força e vigor. E é preciso lembrar que qualquer pessoa mentalmente perturbada tem uma boa dose de força insuspeita e inesperada.

O juiz balançou a cabeça, pensativo.

Blore, que até então estivera ajoelhado, ergueu-se com um suspiro; depois disse:

— Nenhuma impressão digital. Limparam o cabo depois que o machado foi usado.

Ouviu-se um som de risada — eles se viraram de supetão. Vera Claythorne estava de pé, parada no pátio. A mulher gritava com voz aguda e estridente, quase um guincho; seu corpo tremia, sacudido por violentos acessos de gargalhada:

— Criam abelhas nesta ilha? Digam-me. Onde é que podemos encontrar mel? Ha! Ha!

Todos fitaram a mulher, incapazes de compreender. Era como se, diante dos olhares atônitos de todos, aquela moça ajuizada e equilibrada tivesse enlouquecido. Ela continuou sua ladainha, na mesma voz estridente e artificial:

— Não fiquem aí me olhando desse jeito! Como se pensassem que enlouqueci. Minha pergunta é perfeitamente sensata. Abelhas, colmeias, abelhas! Oh, não compreendem? Não leram aquele poema idiota — está lá em cima, em seus quartos, foi posto ali para que os senhores o estudem! Devíamos ter vindo diretamente aqui, se tivéssemos alguma percepção das coisas. *Sete soldadinhos vão rachar lenha."* E a estrofe seguinte. Já decorei o poema inteiro, acreditem! *"Seis soldadinhos com a colmeia, brincando com afinco."* É por isso que estou perguntando... criam abelhas nesta ilha? Não é abominavelmente engraçado...?

A moça começou de novo a rir desvairadamente. O doutor Armstrong caminhou na direção dela, a passos largos. Ergueu a mão e deu um tapa no rosto da descontrolada mulher.

Ela arquejou, soluçou e engoliu em seco. Ficou imóvel durante um minuto, depois disse:

— Obrigada... agora estou bem.

Sua voz estava novamente calma e controlada — a voz de uma eficiente instrutora de jogos e de educação física.

Virou-se e atravessou o pátio em direção à cozinha, dizendo: — Miss Brent e eu estamos preparando o café. Os senhores podem... trazer alguns gravetos para acender o fogo?

As marcas avermelhadas dos dedos do médico destacavam-se na sua face.

Quando ela entrou na cozinha, Blore disse:

— Ora, o senhor agiu muito bem, doutor.

Em tom apologético, Armstrong justificou-se:

— Eu precisava! Já nos basta o que estamos enfrentando, não podemos nos dar ao luxo de lidar com manifestações de histeria.

— Ela não é do tipo histérico — disse Philip Lombard.

Armstrong concordou.

— Oh, não. Uma boa moça, sensível, saudável. Foi apenas um choque repentino. Perdeu as estribeiras. Pode acontecer a qualquer um.

Antes de ser assassinado, Rogers havia rachado uma boa quantidade de lenha. As achas foram recolhidas e levadas para a cozinha. Vera e Emily Brent estavam atarefadas. Miss Brent estava limpando o fogão. Vera estava tirando o couro do toucinho defumado.

— Obrigada — disse Emily Brent. — Seremos o mais rápidas que pudermos... de 30 a 45 minutos, digamos. A água precisa ferver.

4

EM SUA VOZ BAIXA E ROUCA, o ex-inspetor Blore disse a Philip Lombard:

— Sabe o que eu estou pensando?

A resposta foi perspicaz:

— Como o senhor está prestes a me dizer, não vale a pena dar-me o trabalho de tentar adivinhar.

O ex-inspetor era um homem sério. Qualquer pitada mais espirituosa e qualquer gracejo eram simplesmente incompreensíveis para ele. Continuou a falar, pesadamente:

— Houve um caso nos Estados Unidos. Um velho e a esposa — ambos assassinados com um machado. No meio da manhã. Ninguém na casa, a não ser a filha e a criada. Ficou provado que não podia ter sido a criada. A filha era uma respeitável solteirona de meia-idade. Parecia inacreditável. Tão inacreditável que a inocentaram. Mas nunca encontraram outra explicação. — Fez uma pausa. — Pensei nesse caso quando vi o machado... e depois, quando entrei na cozinha e lá a vi, tão calma e tão pura. Nem um único fio de cabelo fora do lugar! Já a moça, ficando assim histérica... bem, isso é natural, é o tipo de coisa que se podia esperar, não acha?

Philip Lombard respondeu laconicamente:

— Pode ser.

Blore continuou:

— Mas a outra! Tão asseada e empertigada... escondida debaixo daquele avental... avental de mrs. Rogers, suponho..., dizendo: "O café estará pronto daqui a mais ou menos 30 minutos". Se o senhor quer saber minha opinião, essa mulher é uma doida varrida! Isso acontece com muitas velhas solteironas... não estou querendo dizer que saem por aí cometendo homicídios em larga escala, mas ficam com a cabeça transtornada e começam a agir de maneira esquisita. Infelizmente, ela ficou assim. Pegou mania de religião... pensa que é um instrumento de Deus ou qualquer coisa parecida! Ela fica sentada no quarto, sabe, lendo a Bíblia.

Philip Lombard deu um suspiro e disse:

— É muito pouco provável que isso sirva como prova de desequilíbrio mental, Blore.

Mas Blore fez ouvidos moucos e prosseguiu, laboriosa e perseverantemente:

— E ela estava fora da casa... de capa de chuva, dizendo que tinha descido para olhar o mar.

O outro balançou a cabeça e disse:

— Rogers foi assassinado quando estava rachando lenha, isto é, quando estava fazendo a primeira coisa depois de se levantar. Miss Brent não teria necessidade de ficar zanzando pela ilha por horas depois. Se quer saber minha opinião, o assassino teria todo o cuidado de voltar para a cama e ficar lá bem quietinho, roncando.

Blore rebateu:

— Essa não é a questão, mr. Lombard, o senhor não está entendendo. Se a mulher fosse inocente, estaria apavorada demais para ficar perambulando sozinha pela ilha. Ela só faria isso *se soubesse que não tinha nada a temer.* Ou seja, *se ela própria fosse a assassina.*

Philip Lombard reconheceu:

— É um bom argumento... Sim, eu não tinha pensado nisso.

Com um sorrisinho, acrescentou:

— Fico feliz de ver que o senhor ainda não suspeita de mim.

Blore respondeu bastante envergonhado:

— A princípio desconfiei mesmo do senhor... aquele revólver... e aquela história esquisita que o senhor contou... ou não contou. Mas agora já entendi que aquilo era de fato um pouco óbvio demais. — Depois de uma pausa, acrescentou: — Espero que o senhor pense o mesmo a meu respeito.

Pensativo, Philip respondeu:

— Posso estar enganado, é claro, mas não acho que o senhor tenha imaginação suficiente para planejar uma empreitada dessas. Tudo que posso dizer é que, se o senhor é o criminoso, é um excelente ator e tiro o meu chapéu para sua atuação, seu danado. — Baixou o tom da voz: — Mas aqui entre nós, Blore, e levando em consideração que até o fim do dia provavelmente seremos um par de presuntos, diga-me uma coisa: o senhor cometeu mesmo aquele perjúrio, não é?

Blore remexeu-se, inquieto, e por fim respondeu, convicto:

— Agora parece que já não faz muita diferença. Bom, lá vai. Para dizer a verdade, Landor era inocente. O bando me deu o serviço, me subornou e combinamos entre nós mandá-lo em cana por uns tempos. Mas, veja bem, eu não admitiria isso...

— ... se houvesse testemunhas — Lombard terminou a frase com um sorriso malicioso, arreganhando os dentes. — Isso fica entre nós dois. Bem, espero que nessa jogada o senhor tenha recebido uma bela bolada.

— Não tanto como eu merecia. Gente mesquinha aquele bando do Purcell. Mas consegui minha promoção.

— E Landor pegou pena de trabalhos forçados e morreu na cadeia.

— Eu não tinha como saber que ele ia morrer, tinha? — perguntou Blore.

— Não, isso foi puro azar seu.

— Meu? Dele, o senhor quer dizer.

— Seu também. Porque, como resultado disso, parece que sua vida vai ser desagradavelmente abreviada.

— Eu? — Blore encarou-o. — O senhor acha que vou ter o mesmo fim de Rogers e todos os outros? Eu não! Estou cuidando muito bem de mim, pode apostar.

Lombard disse:

— Oh, muito bem... não sou homem de apostar. E, de qualquer maneira, se o senhor morresse, não haveria como eu ser pago por ganhar a aposta.

— Olhe aqui, mr. Lombard, o que o senhor está querendo dizer?

Philip Lombard mostrou os dentes e respondeu:

— Meu caro Blore, o que estou querendo dizer é que, na minha opinião, o senhor não tem a menor chance!

— O quê?

— Com certeza, a sua falta de imaginação vai fazer do senhor uma vítima absolutamente ideal. Um alvo fácil e indefeso. Um criminoso — ou criminosa — com a imaginação de U. N. Owen pode facilmente levar vantagem sobre o senhor.

O rosto de Blore ficou vermelho. Furioso, perguntou:

— E quanto ao senhor?

A expressão de Philip Lombard ficou dura e ameaçadora:

— De minha parte, tenho bastante imaginação. Já estive em situações arriscadas antes e consegui me safar de todas as enrascadas! Acho... não vou dizer mais do que isso, mas *acho* que me safarei também desta!

5

OS OVOS FRITAVAM NA FRIGIDEIRA. Vera, junto ao fogão, pensava:

— Por que cargas-d'água fui fazer o papel de uma tola histérica? Foi um erro. Mantenha a calma, minha menina, mantenha a calma.

Afinal de contas, ela sempre se orgulhara de sua sensatez e seu equilíbrio!

— *A senhorita Claythorne foi maravilhosa... manteve a tranquilidade e a cabeça no lugar... começou imediatamente a nadar atrás de Cyril.*

Por que pensar nisso agora? Tudo isso estava acabado, para sempre acabado...

Cyril tinha desaparecido muito antes que ela conseguisse chegar perto do rochedo. Ela sentira o empuxo da corrente, arrastando-a para o mar. E deixara-se levar — nadando tranquilamente ao sabor da maré, boiando — até que finalmente chegou o barco...

Todos haviam elogiado a sua coragem, a sua calma, a sua presença de espírito e seu sangue-frio...

Mas Hugo não... Hugo tinha apenas olhado para ela...

Deus, como doía, mesmo agora, pensar em Hugo...

Onde estaria ele? O que estaria fazendo? Estaria noivo, casado?

Com aspereza, Emily Brent chamou a atenção da colega de cozinha:

— Vera, esse bacon está queimando.

— Oh, desculpe-me, miss Brent, está mesmo. Sinto muito. Que estupidez a minha.

Emily Brent tirou o último ovo da gordura que chiava na frigideira.

Depois de colocar novos pedaços de bacon para fritar, Vera disse, com curiosidade:

—A senhorita é admiravelmente calma.

Comprimindo os lábios, Emily Brent respondeu:

— Fui criada aprendendo a dominar os nervos, nunca perder a cabeça nem agir com exageros.

Maquinalmente, Vera pensou:

— Infância reprimida... Isso explica muita coisa...

Ela perguntou:

— A senhorita não tem medo?

Depois de uma pausa, acrescentou:

— Ou não se importa de morrer?

Morrer! Foi como se uma broca afiada tivesse perfurado a massa sólida e congelada do cérebro de Emily Brent. Morrer? Mas ela não ia morrer! Os outros morreriam, sim, mas não ela, Emily Brent! Aquela moça não compreendia! Naturalmente, Emily não tinha medo... nenhum Brent jamais sentiu medo. Toda a sua família se dedicava à carreira militar. Enfrentavam a morte sem se abalar. Levavam vida honrada e honesta, assim como ela... Ela nunca fizera nada de que se envergonhasse... E, portanto, naturalmente, não ia morrer...

"O Senhor zela pelos seus"; *"Não terás medo do terror de noite nem da seta que voa de dia..."** Era dia agora, não havia terror. "Nenhum de nós jamais sairá desta ilha." Quem dissera isso? O general Macarthur, é claro, cujo primo se casara com Elsie MacPherson. Ele parecia não se importar. Parecia, na verdade, gostar da ideia! Perverso! Pecaminoso! Era quase ímpio pensar assim. Algumas pessoas subestimavam tanto a morte e davam tão pouco valor à vida que chegavam a tirar a própria vida. Beatrice Taylor... Ontem à noite tinha sonhado com Beatrice — em seu sonho, ela estava lá fora, pressionando o rosto contra a vidraça, gemendo e pedindo que a deixassem entrar. Mas Emily Brent não queria deixá-la entrar. Porque, se deixasse, algo terrível aconteceria...

Com um movimento brusco, fruto de uma sensação súbita e violenta, Emily recompôs-se. Aquela moça olhava para ela de maneira estranha. Com um tom de voz ríspido, perguntou:

— Está tudo pronto, não está? Vamos servir o café da manhã.

* Sl 91, 5. [N.T.]

6

FOI UMA REFEIÇÃO CURIOSA. TODOS estavam muito gentis e polidos.

— Posso servir mais um pouco de café, miss Brent?

— Miss Claythorne, aceita uma fatia de presunto?

— Outro pedaço de bacon?

Seis pessoas, por fora todas normais, calmas e controladas.

E por dentro? Pensamentos que corriam em círculo, feito esquilos numa gaiola.

"E agora, e agora? O que vai acontecer? Quem será o próximo? Quem? Qual de nós?"

"Daria certo? Será mesmo? Não sei, quem sabe. Vale a pena tentar. Se houver tempo. Meu Deus, se houver tempo..."

"Mania de religião, isso sim... Olhando para ela, contudo, mal dá para acreditar... E se eu estiver enganado?..."

"Isso é uma loucura, tudo aqui é uma loucura. Eu estou enlouquecendo. Novelos de lã desaparecendo, cortinas vermelhas de seda, não faz sentido. Não consigo entender coisa alguma..."

"Tolo de uma figa, acreditou em cada palavra que eu disse. Foi fácil... Devo ser cuidadoso, porém, muito cuidadoso."

"Seis figurinhas de porcelana... só seis; quantas haverá esta noite?..."

— Quem vai comer o último ovo?

— Marmelada?

— Obrigado, aceita mais uma fatia de presunto?

Seis pessoas comportando-se normalmente à mesa do café da manhã...

1

A REFEIÇÃO HAVIA TERMINADO.

O juiz Wargrave pigarreou. Depois, com sua inconfundível voz miúda e autoritária, disse:

— Seria aconselhável, creio eu, que nos reuníssemos para discutir a situação. Digamos, dentro de meia hora, na sala de estar?

Todos emitiram sons sugerindo concordância de opinião.

Vera começou a empilhar os pratos.

— Vou tirar a mesa e lavar a louça — disse ela.

— Nós levaremos tudo até a copa para a senhorita — disse Philip Lombard.

— Obrigada.

Emily Brent, que havia se levantado, voltou a sentar-se; depois disse:

— Oh, meu Deus!

O juiz perguntou:

— Alguma coisa errada, miss Brent?

Emily desculpou-se:

— Perdão. Eu gostaria de ajudar miss Claythorne, mas não sei o que está acontecendo. Estou um pouco tonta.

— Tonta, é? — O doutor Armstrong caminhou na direção dela. — É bastante natural. Choque retardado. Eu posso dar alguma coisa para...

— Não!

A palavra irrompeu de seus lábios como uma granada explodindo.

Todos ficaram perplexos. O rosto do doutor Armstrong corou como fogo, adquirindo uma intensa tonalidade vermelha.

Era impossível disfarçar o medo e a suspeita que a expressão no rosto da mulher denotava. Em tom seco e formal, o médico resignou-se:

— Como quiser, miss Brent.

Ela disse:

— Não quero tomar nada, absolutamente nada. Vou ficar sentada aqui, bem quietinha, até a tontura passar.

Acabaram de tirar a mesa do café.

Blore foi solícito:

— Sou um homem caseiro. Darei uma mão, miss Claythorne.

Vera agradeceu:

— Muito obrigada.

Emily Brent ficou sentada sozinha na sala de jantar.

Durante algum tempo, ouviu um murmúrio indistinto de vozes, proveniente da copa.

A tontura estava passando. Agora sentia-se sonolenta, como se pudesse facilmente cair no sono.

Em seus ouvidos, escutava um zumbido — ou será que na sala havia um zumbido de verdade?

Pensou:

— Parece uma abelha... uma mamangaba.

Dali a pouco, viu a abelha. Subindo pelo vidro da janela.

Vera Claythorne tinha falado de abelhas naquela manhã.

Abelhas e mel.

Ela gostava de mel. Mel no favo, espremido por meio de um saquinho de musselina. Pingando, pingando, pingando...

Havia alguém na sala... alguém todo encharcado e pingando... *Beatrice Taylor saiu do rio...*

Para vê-la, a única coisa que ela tinha a fazer era virar a cabeça.

Mas não podia virar a cabeça...

Se ela gritasse...

Mas não conseguia gritar...

Não havia ninguém mais na casa. Estava completamente sozinha...

Ouviu passos... passos macios e arrastados, chegando por trás dela. Os passos trôpegos da mocinha afogada...

Em suas narinas, sentia um cheiro desagradável de umidade...

Na vidraça, a abelha estava zumbindo... zumbindo...

E então ela sentiu a picada.

A ferroada da abelha no lado do pescoço...

2

NA SALA, TODOS ESTAVAM ESPERANDO miss Brent.

Vera Claythorne perguntou:

— Devo ir buscá-la?

Blore apressou-se em responder:

— Só um minuto.

Vera sentou-se novamente. Todos dirigiram olhares inquiridores para Blore, que disse:

— Escutem, senhores, minha opinião é a seguinte: para encontrar o autor dessas mortes, não precisamos ir além da sala de jantar neste minuto. Sou capaz de jurar que essa mulher é a pessoa que estamos procurando!

Armstrong perguntou:

— E qual o motivo?

— Fanatismo religioso. O que acha, doutor?

— É perfeitamente possível. Não tenho nenhuma objeção. Mas, obviamente, não temos provas.

Vera disse:

— Ela estava muito esquisita na cozinha, enquanto preparávamos o café. Os olhos dela... — Teve um arrepio.

Lombard opinou:

— Não se pode julgá-la só por isso. Estamos todos um pouco transtornados e descontrolados!

Blore acrescentou:

— E tem outra coisa. Ela foi a única pessoa que não deu nenhuma explicação depois que ouvimos aquele disco no gramofone. Por quê? Simplesmente porque não tinha explicação alguma a dar.

Vera remexeu-se na cadeira e disse:

— Isso não é bem verdade. Ela me contou... depois.

Wargrave perguntou:

— O que ela contou, miss Claythorne?

Vera repetiu a história de Beatrice Taylor.

O juiz Wargrave observou:

— Uma história perfeitamente franca e sem rodeios. Eu pessoalmente não teria dificuldade alguma em aceitá-la como plausível. Diga-me, miss Claythorne, ela demonstrou estar perturbada por certo sentimento de culpa ou de remorso com relação ao comportamento dela no caso?

— Não, nenhum. Estava completamente impassível.

Blore comentou:

— Essas solteironas virtuosas têm o coração de pedra! Inveja, quase sempre!

O juiz Wargrave disse:

— Agora faltam 5 minutos para as 11h. Acho que devemos convocar miss Brent para juntar-se ao nosso conclave.

Blore perguntou:

— O senhor não vai tomar nenhuma atitude?

— Não consigo ver que atitudes possamos tomar agora. No momento, nossas suspeitas são exatamente isso, apenas suspeitas. Contudo, pedirei ao doutor Armstrong que observe com extremo cuidado a conduta de miss Brent. Agora vamos à sala de jantar.

Encontraram Emily Brent sentada na cadeira em que a tinham deixado. Uma vez que se aproximaram por trás dela, nada notaram de errado, exceto que ela parecia não ter percebido a entrada do grupo na sala.

E então viram seu rosto... coberto de sangue, os lábios azulados e os olhos arregalados, com uma expressão apalermada.

Blore disse:

— Meu Deus, ela está morta!

3

A VOZ MIÚDA E TRANQUILA do juiz Wargrave se fez ouvir:

— Mais um de nós absolvido... tarde demais!

Armstrong estava curvado sobre a mulher morta. Depois de cheirar os lábios e examinar as pálpebras do cadáver, balançou a cabeça.

Morrendo de impaciência, Lombard perguntou:

— Como ela morreu, doutor? Estava bem quando a deixamos aqui!

A atenção de Armstrong fixara-se numa marca do lado direito do pescoço. Por fim, disse:

— Isto aqui é a marca de uma seringa hipodérmica.

Ouviu-se um zumbido, vindo da janela. Vera exclamou:

— Olhem, uma abelha, uma mamangaba! Lembram-se do que eu disse esta manhã?

— Não foi essa abelha que a picou! — disse o médico, em tom amargo. — Uma mão humana empunhou a seringa.

O juiz perguntou:

— Que veneno foi injetado?

Armstrong respondeu:

— Meu primeiro palpite é um dos cianuretos. Provavelmente cianureto de potássio, o mesmo usado para matar Anthony Marston. Ela deve ter morrido quase que instantaneamente, de asfixia.

Vera gritou:

— Mas e esta *abelha*? Não pode ser *coincidência*!

Em tom soturno, Lombard disse:

— Oh, não, em absoluto, não é coincidência! É apenas nosso assassino dando à coisa toda um pequeno toque de cor local! É uma criatura brincalhona. Gosta de seguir com a maior fidelidade possível aquele maldito poema infantil!

Pela primeira vez, sua voz titubeou, deu sinais de fraqueza, ficou estridente, quase um guincho. Era como se os seus nervos, enrijecidos por uma longa carreira de aventuras e empreendimentos perigosos, tivessem, por fim, cedido.

Com violência, esbravejou:

— Isto é uma loucura... uma completa loucura... estamos todos loucos!

Calmamente, o juiz interveio:

— Creio que ainda estejamos de posse de nossa capacidade de raciocinar. *Alguém trouxe uma seringa hipodérmica para esta casa?*

Empertigando-se, o doutor Armstrong respondeu numa voz em que não transparecia muita segurança:

— Sim, eu trouxe.

Quatro pares de olhos cravaram-se nele. O médico suportou com firmeza a profunda e hostil suspeição que havia naqueles olhos.

— Sempre viajo com uma. A maioria dos médicos faz a mesma coisa.

Serenamente, o juiz Wargrave perguntou:

— Sim, concordo. O senhor terá a bondade de nos dizer, doutor, onde está a seringa?

— Na maleta, no meu quarto.

Wargrave disse:

— Talvez seja melhor verificar esse fato.

Os cinco subiram a escada, numa procissão silenciosa.

O conteúdo da maleta foi despejado no chão.

A seringa hipodérmica não estava ali.

4

A REAÇÃO DE ARMSTRONG FOI violentíssima:

— Alguém deve tê-la tirado daqui!

No quarto, reinou o silêncio.

Armstrong ficou de costas para a janela.

Quatro pares de olhos estavam fixos nele, eivados de suspeita e acusação. Ele olhou de Wargrave para Vera e repetiu, em voz fraca e desamparada:

— O que estou dizendo é que alguém deve tê-la tirado da maleta.

Blore encarou Lombard, que devolveu o olhar.

O juiz disse:

— Somos cinco aqui neste quarto. *Um de nós é um assassino.* A situação está grave e extremamente perigosa. Tudo deve ser feito a fim de salvaguardar os quatro de nós que são inocentes. Agora vou perguntar ao senhor, doutor Armstrong: que medicamentos o senhor tem em seu poder?

Armstrong respondeu:

— Tenho um pequeno estojo aqui. O senhor pode examiná-lo. Encontrará alguns soníferos — cápsulas de trional e sulfonal —, uma caixinha de brometo, bicarbonato de sódio, aspirina. Nada de mais. E nada mais. Não estou de posse de cianureto.

O juiz disse:

— Eu também tenho alguns comprimidos de remédio para dormir... sulfonal, acho. Presumo que seriam letais se ministrados em dose suficientemente grande. Mr. Lombard está de posse de um revólver.

— E se estiver? — explodiu Philip Lombard.

— Apenas isto: proponho que a provisão de drogas do doutor, os meus comprimidos de sulfonal, o seu revólver e tudo o mais que for droga ou arma de fogo seja reunido e colocado em lugar seguro. E sugiro que, depois disso, cada um de nós se submeta a uma revista — tanto em nossa pessoa como em nossos pertences.

Lombard reagiu:

— Maldito seja eu se abrir mão do meu revólver!

Wargrave devolveu no mesmo tom áspero:

— Mr. Lombard, o senhor é um jovem bastante forte e vigoroso, mas o ex-inspetor Blore também é um homem de físico poderoso. Não sei qual seria o resultado de uma luta corporal entre os dois, mas posso afirmar o seguinte: do lado de Blore, ajudando-o da melhor maneira de que formos capazes, estaremos eu, o doutor Armstrong e miss Claythorne. Se o senhor avaliar com precisão a situação, perceberá que, caso acabe optando pela resistência, as probabilidades contrárias são bastante grandes contra o senhor.

Lombard jogou a cabeça para trás e mostrou os dentes, numa expressão que se assemelhava ao rosnado de um animal.

— Oh, muito bem, então. Já que o senhor tem tudo arquitetado.

O juiz Wargrave balançou a cabeça, em sinal de aprovação.

— O senhor é um jovem sensível. Onde está o seu revólver?

— Na gaveta da minha mesa de cabeceira.

— Muito bem.

— Vou buscá-lo.

— Acho que seria desejável se fôssemos todos juntos.

Com um sorriso que era quase um ranger de dentes, Philip disse:

— Sujeitinho desconfiado, não?

Seguiram pelo corredor, até o quarto de Lombard.

Philip caminhou na direção da mesa de cabeceira e, com um arranco, abriu a gaveta.

Depois recuou, soltando um impropério.

A gaveta da mesa de cabeceira estava vazia.

5

— SATISFEITOS? — PERGUNTOU LOMBARD.

Estava nu em pelo; tanto ele como o seu quarto tinham sido meticulosamente revistados pelos outros três homens. Vera Claythorne estava esperando do lado de fora, no corredor.

A busca prosseguiu metodicamente. Um de cada vez, Armstrong, o juiz e Blore submeteram-se ao mesmo teste.

Os quatro homens saíram do quarto de Blore e aproximaram-se de Vera. Foi o juiz quem falou:

— Miss Claythorne, espero que compreenda que não podemos permitir nenhuma exceção. Aquele revólver precisa ser encontrado. Presumo que a senhorita tenha trazido consigo um traje de banho.

Vera fez que sim com a cabeça.

— Então pedirei que a senhorita entre no seu quarto, vista o traje e volte aqui diante de nós.

Vera entrou no quarto e fechou a porta. Reapareceu menos de um minuto depois, vestindo uma roupa de banho de seda pregueada, bastante apertada.

Wargrave moveu a cabeça, em sinal de aprovação.

— Obrigado, miss Claythorne. Agora, se preferir ficar aqui, revistaremos seu quarto.

Vera aguardou pacientemente no corredor até que os outros aparecessem. Depois entrou, trocou de roupa, saiu novamente e foi até onde os quatro homens a esperavam.

O juiz disse:

— Temos certeza de uma coisa. Não há armas ou drogas letais em poder de nenhum de nós cinco. Já é meio caminho andado. Agora vamos guardar os medicamentos em lugar seguro. Há, creio, uma caixa de talheres na copa, não há?

Blore disse:

— Está muito bem, mas quem vai ficar com a chave? O senhor, suponho.

O juiz Wargrave não respondeu.

Desceu para a copa; os outros o seguiram. Havia ali uma pequena caixa destinada a guardar prataria e louça. Sob as instruções do juiz, os vários medicamentos foram colocados dentro dessa caixa, que então foi trancada. A seguir, ainda de acordo com as instruções de Wargrave, a caixa foi acomodada num armário, que, por sua vez, também foi trancado. O juiz deu então a chave da caixa a Philip Lombard e a do armário a Blore; depois disse:

— Os senhores são os dois fisicamente mais fortes. Seria tarefa árdua para qualquer um tomar a chave do outro. Para qualquer um de nós três, seria impossível. Arrombar o armário — ou a caixa da louça — seria uma tarefa complicada e barulhenta, que dificilmente poderia ser posta em prática sem chamar a atenção.

Depois de uma pausa, continuou:

— Ainda estamos diante de um problema muito grave: *o que aconteceu com o revólver de mr. Lombard?*

Blore opinou:

— Parece-me que o dono da arma é a pessoa mais adequada para saber disso.

A perturbação emocional fez com que uma mancha branca se alastrasse pelas narinas de Philip Lombard, que reagiu aos gritos:

— Seu maldito cabeçudo teimoso de uma figa! Eu já disse que o revólver foi roubado!

Wargrave perguntou:

— Quando foi que o senhor o viu pela última vez?

— Ontem à noite. Estava na gaveta quando me deitei para dormir, pronto para caso acontecesse alguma coisa.

O juiz assentiu com a cabeça e disse:

— Deve ter sido levado esta manhã, durante a confusão em que nos metemos procurando Rogers, ou depois que o corpo dele foi encontrado.

Vera foi enfática:

— A arma tem de estar escondida em algum lugar da casa. Temos de procurá-la.

Com o dedo, Wargrave afagava o queixo. Por fim, disse:

— Duvido que nossa busca dê em alguma coisa. Nosso assassino deve ter tido tempo de sobra para maquinar um esconderijo. Não imagino que consigamos achar facilmente esse revólver.

Blore foi categórico:

— Não sei onde o revólver está, mas aposto que sei onde está outra coisa — aquela seringa hipodérmica. Sigam-me.

Abriu a porta da frente e deu a volta na casa, seguido dos outros.

A pouca distância da janela da sala de jantar, encontrou a seringa. Ao lado dela, uma figura de porcelana esfacelada — o sexto soldadinho despedaçado.

Numa voz que denotava satisfação, Blore disse:

— Era o único lugar em que podia estar. Depois de matá-la, o assassino abriu a janela, jogou para fora a seringa, pegou uma estatueta na mesa e fez a mesma coisa.

Não havia impressões digitais na seringa. Ela fora cuidadosamente enxugada.

Com voz decidida, Vera propôs:

— Agora vamos procurar o revólver.

O juiz Wargrave disse:

— Certamente, sem dúvida. Mas, ao fazer isso, vamos tomar o cuidado de nos manter juntos. Lembrem-se: se nos separarmos, daremos uma oportunidade ao assassino.

A casa foi minuciosamente revistada, de um extremo ao outro, do sótão às adegas, mas sem resultado. O revólver ainda continuava desaparecido.

1

UM DE NÓS... UM DE *nós... um de nós...*

Três palavras, repetidas infinitamente, ecoando, hora após hora, dentro do cérebro impressionável das pessoas.

Cinco pessoas — cinco pessoas visivelmente aturdidas e apavoradas. Cinco pessoas aparvalhadas que se vigiavam umas às outras, que agora mal se davam ao trabalho de esconder o seu estado de tensão nervosa.

Agora, como que por feitiço, já não havia fingimento nem preocupação com a manutenção das aparências — nem com o verniz da formalidade e da conversa polida. Eram cinco inimigos, ligados por um instinto comum de autopreservação.

E todos eles, subitamente, pareciam-se menos com seres humanos. Haviam sido revertidos a tipos mais bestiais. Feito uma velha e cautelosa tartaruga, o juiz Wargrave apequenou-se, sentado, imóvel e encurvado, a cabeça encolhida nos ombros, os olhos penetrantes e alertas. O corpo do ex-inspetor Blore parecia mais desajeitado e grosseiro, seus gestos pareciam mais rudes. Seu andar lembrava o de um animal vagaroso e pachorrento. Seus olhos estavam injetados. Tinha na expressão do rosto uma mescla de ferocidade e estupidez. Era como um bicho acuado, pronto para atacar seus perseguidores. Os sentidos de Philip Lombard pareciam mais aguçados, em vez de ter diminuído. Seus ouvidos reagiam ao som mais insignificante. Seu passo estava mais rápido e leve, seu corpo estava mais ágil, flexível e gracioso. E sorria com frequência, como se transbordasse de contentamento, escancarando os lábios e mostrando os dentes grandes e brancos.

Vera Claythorne estava muito quieta. Ficava a maior parte do tempo calada, encolhida numa cadeira, olhando para o nada. Parecia confusa e estupidificada. Era como um pássaro que bate a cabeça contra a vidraça e é apanhado por uma mão humana. Fica agachado ali, atemorizado, incapaz de se mover, esperando que sua própria imobilidade possa salvá-lo.

Os nervos de Armstrong estavam num estado lamentável. O homem se retorcia, se contorcia, suas mãos tremiam, o canto da boca tremia em espasmos. Acendia um cigarro atrás do outro e os jogava fora quase imediatamente. A inação forçada da situação a que o grupo estava submetido parecia irritá-lo e atormentá-lo mais que aos outros. De vez em quando tinha surtos verbais e proferia uma torrente de falatório nervoso:

— Nós... nós não devíamos ficar aqui sentados sem fazer nada! Deve haver *alguma coisa*... certamente, certamente há alguma coisa que possamos fazer. Se acendêssemos uma fogueira...

Blore interrompeu-o com um argumento certeiro:

— Com esse tempo?

A chuva pesada havia voltado. O vento soprava em rajadas violentas, silvando como uma locomotiva. O ruído deprimente do tamborilar contínuo e monótono da chuva estava levando os cinco à loucura.

Por um acordo tácito, haviam adotado um plano de campanha. Todos ficavam sentados na enorme sala de estar. Só uma pessoa deixava a sala de cada vez. As outras quatro esperavam até que a quinta retornasse.

Lombard tentou mostrar otimismo:

— É apenas uma questão de tempo. A chuva vai passar. Então poderemos fazer alguma coisa... sinais... acender fogueiras... construir uma jangada... qualquer coisa!

Explodindo numa súbita gargalhada, que mais parecia um cacarejo, Armstrong exclamou:

— Uma questão de tempo... *tempo*? Não dispomos de tempo! Morreremos todos...

O juiz Wargrave falou na sua voz miúda e cristalina, carregada de determinação e veemência:

— Não se formos cuidadosos. *Temos de agir com a máxima cautela...*

O almoço fora devidamente comido, mas sem nenhum tipo de formalidade convencional. Todos os cinco tinham ido para a cozinha. Na despensa, acharam grande quantidade de alimentos em conserva. Abriram uma lata de língua e dois potes de frutas. Comeram em pé, ao redor da mesa da cozinha. Depois, colados uns aos outros, tinham voltado à sala de estar — e ali ficaram sentados, vigiando-se mutuamente.

Agora, a mente de cada um era assolada por pensamentos anormais, febris, mórbidos...

"É Armstrong... Acabei de perceber que estava olhando de soslaio para mim... tem olhos de louco... muito louco... Talvez nem seja médico, afinal de contas... Claro, é isso!... Ele é um lunático, fugido de algum hospício ou da casa de algum médico, fingindo-se de doutor, isso sim... Devo dizer a eles?... Devo gritar?... Não, não convém prevenir os outros contra ele... Além disso, ele parece tão normal... Que horas são? Apenas 15h15... Oh, meu Deus, eu também vou enlouquecer... Sim, é Armstrong... Ele está me observando de esguelha bem agora..."

"Ninguém vai *me* pegar! Sei cuidar de mim mesmo... Já estive em apuros antes... Onde diabos se meteu aquele maldito revólver?... Quem o pegou?... Quem está com ele?... Ninguém, sabemos disso. Fomos todos revistados... Ninguém *pode* estar com ele... *Mas alguém sabe onde ele está...*"

"Estão todos ficando doidos... todos vão ficar doidos... Com medo de morrer... todos estão com medo da morte... eu mesmo tenho medo da morte... Sim, mas isso não impede que a morte venha... '*O carro funerário está à porta, senhor.*' Onde foi que li isso? A moça... vou ficar de olho nela. Sim, vou ficar de olho nessa moça..."

"20 para as 16h... 20 para as 16h, ainda... talvez o relógio tenha parado... Eu não entendo... não, não entendo... Esse tipo de coisa não pode acontecer... e mesmo assim está acontecendo... Por que é que nós não acordamos? Acordar... Dia do Juízo Final... não, nada disso! Se pelo menos eu conseguisse pensar... Minha cabeça... alguma coisa está acontecendo na minha cabeça... ela vai explodir... vai rachar no meio... Esse tipo de coisa não pode acontecer... Que horas são? Oh, meu Deus, ainda 15 para as 16h."

"Devo manter a cabeça no lugar... devo manter a cabeça no lugar... se eu conseguir pelo menos manter a cabeça no lugar... Está tudo perfeitamente claro... tudo planejado. Mas ninguém deve suspeitar. Pode ser que dê certo! Tem de dar certo! Qual? Eis a questão... qual? Acho... sim, acho sim... sim... *ele."*

Quando o relógio bateu 17 horas, todos tiveram um sobressalto.

Vera perguntou:

— Alguém... quer chá?

Houve um momento de silêncio, quebrado por Blore:

— Eu gostaria de tomar uma xícara.

Vera levantou-se e disse:

— Vou à cozinha fazer o chá. Podem ficar todos aqui.

Em tom amável, o juiz Wargrave comentou:

— Acho, minha cara senhorita, que todos nós preferiríamos acompanhá-la para assistir de perto à preparação do chá.

Vera encarou-o, depois soltou uma risada breve e histérica:

— É claro! Todos preferem!

Cinco pessoas foram à cozinha. O chá foi feito e tomado por Vera e Blore. Os outros três beberam uma dose de uísque — abriram uma garrafa nova e usaram um sifão tirado de uma embalagem ainda lacrada.

Com um sorriso de réptil, o juiz murmurou:

— *Temos de agir com a máxima cautela...*

Depois voltaram para a sala de estar, que, embora fosse verão, estava escura. Lombard apertou o interruptor, mas as lâmpadas não acenderam.

— Claro! — disse ele. — O motor não foi ligado hoje, já que Rogers não estava lá para cuidar disso.

Ele hesitou um pouco e propôs:

— Podemos ir lá fora e pôr a coisa para funcionar, suponho.

O juiz Wargrave disse:

— Há pacotes de velas na despensa, eu vi. É melhor usá-las.

Lombard saiu. Os outros quatro ficaram sentados, vigiando-se.

Ele voltou com um pacote de velas e uma pilha de pires. Cinco velas foram acesas e colocadas em diferentes pontos da sala.

O relógio marcava 15 para as 18h.

2

ÀS 18H20, VERA SENTIU QUE continuar ali sentada era insuportável. Iria ao seu quarto molhar a cabeça e as têmporas doloridas em água fria.

Levantou-se e caminhou em direção à porta. Depois, lembrando-se de que a casa estava às escuras, voltou e tirou uma vela do pacote. Acendeu-a, deixou pingar um pouco de cera num pires e ali grudou a vela, com firmeza. Saiu então da sala, fechando a porta atrás de si e deixando lá dentro os quatro homens.

Subiu a escada e percorreu o corredor até o seu quarto.

Ao abrir a porta, deteve-se subitamente e ficou parada, perplexa.

Suas narinas tremiam.

O mar... O cheiro do mar em St. Tredennick...

Era isso. Ela não podia estar enganada. Por certo, numa ilha sente-se mesmo o cheiro do mar, mas aquele era diferente. Era exatamente o cheiro que a praia tinha naquele dia... com a maré vazante e as rochas cobertas de algas secando ao sol.

— *Posso nadar até o rochedo, miss Claythorne?*

— *Por que não posso nadar até a ilha?*

Pirralho horroroso, chato, mal-educado, mimado, sempre choramingando! Se não fosse ele, Hugo seria rico... poderia casar-se com a moça a quem amava...

Hugo...

Com toda a certeza... com toda a certeza... Hugo estava ao seu lado? Não, estava esperando por ela no quarto...

Ela deu um passo à frente. A corrente de ar vinda da janela pegou em cheio a chama da vela, que bruxuleou e apagou-se...

No escuro, ela subitamente sentiu medo...

— Não seja tola — Vera Claythorne incitou a si mesma. — Está tudo bem. Os outros estão lá embaixo. Todos os quatro. Não há ninguém no quarto. Não pode haver. Você está imaginando coisas, minha menina.

Mas aquele cheiro... aquele cheiro da praia de St. Tredennick... Aquilo não era imaginação. Era real...

E havia, sim, alguém no quarto... Ela tinha ouvido alguma coisa, certamente tinha ouvido alguma coisa...

E, então, quando ela ficou imóvel no meio do quarto, à escuta, uma mão fria e pegajosa tocou-lhe a garganta, uma mão molhada, cheirando a mar...

3

VERA GRITOU. GRITOU E GRITOU — berros tão fortes de extremo terror, a ponto de seus ouvidos tinirem —, gritos selvagens e desesperados de socorro.

Ela não ouviu os ruídos do andar de baixo, o estrépito de uma cadeira sendo derrubada, de uma porta sendo aberta, de pés dos homens subindo às pressas os degraus. Ela só tinha consciência do seu supremo terror.

Depois, luzes tremeluziram no corredor — velas —, restaurando sua sanidade, e homens precipitaram-se porta adentro.

— Mas que diabo? O que aconteceu? Meu bom Deus, o que foi?

Vera tremeu, deu um passo adiante e desabou.

Percebeu apenas de modo vago e semiconsciente que alguém se curvava sobre ela, que alguém a forçava a baixar a cabeça até os joelhos.

Depois, uma exclamação súbita, um rápido — Meu Deus, olhem só para isso! — e Vera recobrou os sentidos. Abriu os olhos e levantou a cabeça. E viu o que os homens estavam examinando sob a luz formigante das velas.

Uma larga fita de alga molhada estava pendurada no teto. Fora aquilo que, na escuridão, havia balançado e roçado seu pescoço. Na escuridão e às apalpadelas, Vera pensara que aquela tira era uma mão pegajosa, uma mão de afogado que voltava do mundo dos mortos para arrancar sua vida!

Ela começou a rir histericamente:

— Era uma alga... apenas uma alga... e por isso aquele cheiro...

E então a vertigem tomou conta dela mais uma vez, em ondas sucessivas de náuseas. Sua cabeça latejava. Mais uma vez alguém a forçou a baixar a cabeça entre os joelhos.

Era como se tivesse decorrido uma eternidade. Ofereceram a ela algo para beber apertando um copo contra os seus lábios. Ela sentiu o cheiro do conhaque.

Cheia de gratidão, já estava prestes a engolir a bebida, quando, de repente, uma nota de alerta — como a campainha de um alarme — soou em seu cérebro. Sentou-se, afastou o copo para longe. Em tom brusco, perguntou:

— De onde veio isso?

Depois de fitá-la por alguns instantes, Blore respondeu:

— Eu trouxe a bebida lá de baixo.

Vera gritou:

— Não vou beber...

Houve um momento de silêncio, depois Lombard riu e disse, em tom jocoso:

— Muito bem, Vera, que bom! A senhorita nunca perde a cabeça, mesmo que tenha quase morrido de medo. Vou buscar outra garrafa, ainda fechada.

Philip saiu rapidamente do quarto.

Hesitante, Vera disse:

— Estou bem agora. Vou beber um pouco de água.

Levantou-se com esforço, ajudada por Armstrong. Foi até a pia, cambaleando e agarrando-se ao médico. Deixou correr a água fria da torneira, depois encheu o copo.

— Esse conhaque não tem nada — disse Blore, em tom ressentido.

— Como é que o senhor sabe? — perguntou Armstrong.

Blore respondeu furioso:

— Eu não coloquei nada nele. É isso que o senhor está insinuando, suponho.

Armstrong defendeu-se:

— Não estou dizendo que o senhor colocou coisa alguma. Podia ter colocado, ou alguém podia ter preparado a garrafa exatamente para uma emergência como essa.

Lombard entrou de novo no quarto, andando a passos apressados.

Nas mãos, trazia uma garrafa de conhaque ainda lacrada e um saca-rolhas.

Enfiou a garrafa sob o nariz de Vera.

— Olhe só aqui, menina. Absolutamente nenhuma fraude. — Retirou a delgada lâmina de metal, depois sacou a rolha. — Sorte que na casa há uma boa provisão de bebidas. Muito atencioso da parte de U. N. Owen.

Vera tremeu violentamente.

Armstrong, que segurava o copo enquanto Philip entornava o conhaque, disse:

— É melhor beber isso, miss Claythorne. A senhorita passou por um choque terrível.

Vera aquiesceu e bebeu um pouco. Seu rosto recuperou a cor.

Philip Lombard riu e disse:

— Bem, eis aqui um assassinato que não ocorreu de acordo com o plano!

Quase num sussurro, Vera perguntou:

— O senhor acha... que era essa a intenção?

Lombard assentiu com um movimento da cabeça.

— Quem quer que tenha sido, esperava que a senhorita morresse de pavor! Certas pessoas teriam morrido, não é verdade, doutor?

Armstrong não quis se comprometer. Sua resposta foi em tom de dúvida:

— Hum, é impossível dizer. Pessoa jovem e saudável... sem nenhuma debilidade cardíaca. Improvável. Por outro lado...

O médico pegou o copo de conhaque que Blore havia trazido, mergulhou nele a pontinha do dedo e experimentou cautelosamente a bebida. Também em tom de dúvida, decretou: — Hum, nada de errado com o gosto.

Blore adiantou-se, furioso:

— Se o senhor está insinuando que eu adulterei essa bebida, vou quebrar sua cara! Faço picadinho do senhor!

Vera, com o juízo reanimado pelo conhaque, conseguiu mudar de assunto, perguntando:

— Onde está o juiz?

Os três homens trocaram olhares.

— *Que esquisito...* Pensei que ele tivesse subido conosco.

Blore disse:

— Eu também pensei a mesma coisa... O que acha, doutor? O senhor subiu a escada atrás de mim.

Armstrong respondeu:

— Pensei que ele estava vindo atrás de mim... Obviamente, era de esperar que andasse mais devagar do que nós. Afinal, é um velho.

Mais uma vez, todos se entreolharam.

Lombard disse:

— Maldição, isso é muito estranho...

Blore bradou:

— Devemos procurá-lo!

E caminhou em direção à porta. Os outros o seguiram, Vera por último.

Enquanto desciam os degraus, Armstrong disse, por sobre o ombro:

— Obviamente, é possível que tenha ficado na sala de estar.

Atravessaram o saguão. Armstrong começou a chamar em voz alta:

— Wargrave, Wargrave, onde está o senhor?

Não houve resposta. Um silêncio mortal enchia a casa, apesar do suave tamborilar da chuva copiosa que caía.

Então, entrando pela porta do salão, Armstrong estacou. Os outros se amontoaram e olharam por cima dos ombros dele.

Alguém gritou.

O juiz Wargrave estava sentado pesadamente na sua cadeira de espaldar alto, no fundo da sala. De cada lado, duas velas acesas. Mas o que chocou e amedrontou os espectadores foi o fato de que ele estava vestido com uma beca escarlate e tinha na cabeça uma peruca de juiz...

Com um gesto, o doutor Armstrong sinalizou aos outros que não se aproximassem. Por sua vez, ele atravessou a sala e, um tanto hesitante, caminhou até a figura silenciosa e de olhos escancarados; enquanto andava, cambaleava um pouco, com os passos trôpegos de um bêbado.

Curvou-se para a frente, examinando o rosto imóvel. Depois, com um movimento rápido, ergueu a peruca. A indumentária caiu ao chão, revelando uma fronte alta e careca; bem no centro da testa, uma mancha redonda, de onde havia escorrido alguma coisa...

O doutor Armstrong levantou a mão flácida e inerte do juiz e tentou sentir a pulsação. Depois, virou-se para os outros e disse — sua voz era inexpressiva, morta, distante:

— Ele foi baleado...

Blore exaltou-se:

— Meu Deus... o revólver!

O médico, ainda na mesma voz sem vida, continuou:

— O tiro atravessou a cabeça. Morte instantânea.

Vera abaixou-se para olhar a peruca. Depois disse, numa voz trêmula de terror:

— A lã desaparecida de miss Brent...

Blore disse:

— E a cortina escarlate que havia sumido do banheiro...

Vera falou num sussurro:

— Então era para isso que as queriam...

Subitamente, Philip Lombard soltou uma gargalhada — uma risada forte, ruidosa, nasal e prolongada, que soava artificial:

"Cinco soldadinhos vão ao tribunal, ver julgar o fato; um ficou em apuros, e então sobraram quatro..." Esse é o fim do maldito mr. Wargrave, o Juiz Sanguinário. Nunca mais vai pronunciar sentenças! Nunca mais o infame vai usar o capelo! Esta aqui é a última vez que preside uma corte! Nunca mais vai fazer sumários nem enviar pessoas inocentes para a morte! Ah, como Edward Seton riria se estivesse aqui! Meu Deus, como ele cairia no riso!

Sua explosão chocou e sobressaltou os outros.

Vera berrou:

— Ainda esta manhã o senhor disse que ele era o assassino!

O rosto de Lombard se alterou — tornou-se novamente sóbrio, contido.

Voltando a si, ele murmurou uma desculpa:

— Eu sei, eu disse, sim... Bem, eu estava errado. Aqui está mais um de nós cuja inocência ficou provada... *tarde demais!*

1

O JUIZ WARGRAVE FOI LEVADO para o seu quarto e colocado na cama.

Depois todos os outros desceram novamente e estacaram no saguão, trocando olhares.

Coube a Blore, em tom severo, lançar a pergunta:

— E agora, o que fazemos?

Lombard respondeu, animado:

— Pegar alguma coisa para comer. Precisamos comer, sabe?

Mais uma vez, voltaram todos à cozinha. Mais uma vez, abriram uma lata de língua. Comeram maquinalmente, quase sem sentir o gosto da comida.

Vera disse:

— Nunca mais vou comer língua.

Terminaram a refeição e ficaram sentados à mesa da cozinha, encarando-se uns aos outros.

Blore disse:

— Só restam quatro de nós agora... *Quem será o próximo?*

Armstrong encarou-o, depois falou quase maquinalmente:

— *Temos de agir com a máxima cautela...* — e calou-se.

Blore fez que sim com a cabeça.

— É o que ele dizia... e agora está morto!

Armstrong disse:

— Mas eu me pergunto: como é que isso aconteceu?

Lombard praguejou:

— Um golpe muito esperto! Aquela coisa foi plantada no quarto de miss Claythorne e funcionou perfeitamente de acordo com seu propósito. Todos correram lá para cima, pensando que *ela* é que estava sendo assassinada. E assim, na confusão, alguém foi esquivo o bastante para pegar o velho desprevenido, à traição.

Blore perguntou:

— Mas por que ninguém escutou o tiro?

Lombard balançou a cabeça.

— Miss Claythorne estava gritando, o vento estava uivando, estávamos correndo atarantados de um lado para o outro, berrando também. Não, ninguém conseguiria ouvir. — Fez uma pausa. — Mas esse truque não vai mais funcionar. Na próxima vez ele vai ter de tentar outra coisa.

Blore concordou:

— E provavelmente tentará.

Em sua voz havia um tom desagradável. Os dois homens olharam-se de frente.

Armstrong disse:

— Quatro de nós, e não sabemos qual...

Blore o interrompeu:

— Eu sei...

Vera disse:

— Eu não tenho a menor dúvida...

Armstrong falou devagar:

— Suponho que eu de fato saiba...

Philip Lombard disse:

— Creio que agora eu já consiga ter uma ideia bastante precisa...

Mais uma vez, todos se entreolharam...

Cambaleante, Vera levantou-se e disse:

— Sinto-me péssima. Preciso ir para a cama agora. Estou acabada.

Lombard disse:

— Acho que também irei. Não há sentido algum ficarmos aqui vigiando uns aos outros.

Blore disse:

— Não faço objeção alguma...

O médico murmurou:

— É a melhor coisa a fazer, embora eu duvide que algum de nós vá conseguir pregar o olho.

Andaram em direção à porta. Blore comentou:

— *Eu me pergunto onde estará aquele revólver agora...*

2

SUBIRAM A ESCADA.

A cena que se seguiu parecia tirada de uma peça cômica ou de uma pantomima.

Cada convidado pousou a mão na maçaneta da porta do respectivo quarto. Depois, como se atento a um sinal, cada um entrou e fechou a porta. Ouviram-se os ruídos dos ferrolhos, das fechaduras e de móveis sendo arrastados.

Quatro pessoas apavoradas, entrincheiradas até a manhã seguinte.

3

PHILIP LOMBARD DEU UM SUSPIRO de alívio, depois de firmar uma cadeira sob a maçaneta da porta, à guisa de calço.

Caminhou até a penteadeira.

Sob a luz bruxuleante da vela, examinou curiosamente o próprio rosto.

Em voz baixa e tom gentil, disse para si mesmo:

— Sim, não há dúvida de que esse negócio perturbou você, veja só como está todo alvoroçado.

Num súbito lampejo, brotou seu sorriso de lobo.

Tirou a roupa rapidamente.

Foi para a cama, pôs o relógio de pulso sobre a mesa de cabeceira.

Depois abriu a gaveta.

E ali ficou, encarando o revólver colocado dentro da gaveta...

4

VERA CLAYTHORNE ESTAVA DEITADA NA CAMA.

Ao seu lado, a vela ainda ardia.

Entretanto, ela não tinha coragem de apagá-la.

Estava com medo da escuridão...

Na tentativa de se convencer de que estava segura, repetia para si mesma: — *Está tudo bem, você está a salvo até amanhã de manhã. Nada aconteceu na noite passada. Nada acontecerá esta noite. Nada pode acontecer. Você está trancada e fechada à chave. Ninguém pode chegar perto de você...*

De repente, teve uma ideia:

— Mas é claro! Posso ficar aqui! Ficar trancafiada aqui! Não vou pôr os pés para fora daqui! A comida não tem muita importância! Posso ficar aqui... com toda a segurança, até que o socorro chegue! Mesmo que demore um dia... ou dois...

— Ficar aqui. Sim, mas ela conseguiria ficar ali? Hora após hora, sem ter ninguém com quem conversar, sem nada a fazer a não ser *pensar*...

Ela começaria a pensar na Cornualha... em Hugo... em... em... em tudo que tinha dito a Cyril.

Pirralho horroroso, chato, mal-educado, mimado, sempre choramingando!

— *Miss Claythorne, por que não posso nadar até o rochedo? Eu consigo. Eu sei que consigo.*

Era a voz dela que havia respondido?

— *Claro que consegue, Cyril, consegue, sim. Tenho certeza.*

— Posso ir, então, miss Claythorne?

— Bem, Cyril, você sabe como a sua mãe fica nervosa de tanta preocupação com você. Vamos combinar uma coisa. Amanhã você poderá nadar até o rochedo. Eu vou conversar com a sua mãe na praia para distrair a atenção dela. Depois, quando ela procurar você, você estará no alto do rochedo, acenando para ela. *Vai ser uma surpresa!*

— Oh, que coisa boa, miss Claythorne! Vai ser uma alegria!

Agora era definitivo, ela já tinha dito. Amanhã! Hugo ia a Newquay. Quando ele voltasse, tudo já teria acabado.

Sim, mas e se não fosse assim? E se desse errado? Cyril poderia ser salvo a tempo. E então ele diria: "*Miss Claythorne disse que eu podia*". Bem, e daí? É preciso correr riscos! Se acontecesse o pior, ela enfrentaria a situação descaradamente. — *Como é que você pode contar uma mentira deslavada dessas, Cyril? É claro que eu nunca disse isso!* Eles acreditariam nela, não resta dúvida. Cyril sempre inventava histórias. Ele saberia, é claro. Mas isso não importava... E, de qualquer maneira, nada poderia dar errado. Ela fingiria que estava nadando atrás dele. Mas chegaria tarde demais. Ninguém jamais suspeitaria de nada...

Hugo tinha suspeitado de alguma coisa? Foi por isso que ele tinha olhado para ela daquele jeito esquisito e distante...? Hugo sabia?

Era por isso que ele tinha ido embora com tanta pressa após o inquérito?

Ele não tinha respondido à única carta que ela escrevera...

Hugo...

Vera revirava-se na cama, de modo irrequieto. Não, não, não devia pensar em Hugo. Doía demais! Estava tudo acabado, acabado e enterrado para sempre... Hugo deve ser esquecido.

Por que, então, nesta noite, ela subitamente sentia que Hugo estava no quarto com ela?

Vera fitava o teto, sem despregar os olhos do enorme gancho preto que havia no centro do quarto.

Ela nunca tinha notado aquele gancho antes.

A alga estava pendurada nele...

Ela teve um arrepio ao lembrar-se do contato frio e viscoso no seu pescoço.

Não gostava daquele gancho pendurado no teto. O metal tinha o poder de prender o olhar, fascinava... um gancho preto, enorme...

5

O EX-INSPETOR BLORE ESTAVA SENTADO na beira da cama.

Seus olhinhos vermelhos e injetados estavam desassossegados, alertas na massa sólida do seu rosto. Ele tinha o aspecto de um javali pronto para atacar.

Não sentia a menor vontade de dormir.

A ameaça estava ficando cada vez mais próxima agora... Seis de dez!

Apesar de toda a sagacidade, toda a cautela e astúcia, o velho juiz tivera o mesmo fim dos outros.

Blore bufou, com uma espécie de satisfação selvagem.

— O que foi que aquele velho esquisito tinha dito?

— *Temos de agir com a máxima cautela...*

— Velho presunçoso, fazendo-se passar por virtuoso. Sentado em seu tribunal, sentindo-se Deus Todo-Poderoso! Recebeu o que merecia... Agora não precisa nunca mais tomar cuidado.

E agora só haviam sobrado quatro deles. A moça, Lombard, Armstrong e ele.

Em breve, chegaria a vez de mais um... Mas não seria William Henry Blore. Ele cuidaria disso.

(Mas o revólver... E o revólver? Esse era o fator inquietante — o revólver!)

Blore sentou-se na cama, de cenho franzido, os olhinhos apertados e enrugados, refletindo sobre o problema do revólver...

No silêncio, pôde ouvir o relógio bater as horas no andar de baixo.

Meia-noite.

Relaxou um pouco agora, deu-se até mesmo ao luxo de esticar-se na cama. Mas não se despiu.

Ficou deitado, pensando, repassando toda a história, desde o começo, metódica e laboriosamente, como costumava fazer nos seus tempos de policial. No fim das contas, o que valia mesmo era a meticulosidade e a eficácia.

A vela estava se extinguindo. Depois de verificar se os fósforos estavam ao alcance da mão, apagou-a.

Estranhamente, achou a escuridão inquietante. Era como se medos milenares tivessem despertado, lutando pela supremacia de seu cérebro. Rostos flutuavam no ar... a cara do juiz, a cabeça coroada com aquela ridícula peruca de lã cinza... a face morta e fria de mrs. Rogers... o rosto convulso e arroxeado de Anthony Marston...

Outro rosto, pálido, de óculos, com um bigodinho cor de palha.

Um rosto que ele já tinha visto uma vez, mas quando? Não na ilha. Não, muito antes disso.

Engraçado, ele não sabia como definir com palavras... Um tipo bobo e simplório de rosto, como uma careta, para dizer a verdade... o sujeito parecia um tanto quanto otário.

Mas é claro!

A lembrança tomou-o de assalto, e foi um verdadeiro choque.

Landor!

Estranho pensar que tivesse esquecido completamente dos traços da fisionomia de Landor. Ainda ontem tinha tentado lembrar-se da cara do sujeito e não conseguira.

E agora ali estava o rosto dele, com todos os traços claros e nítidos, como se o tivesse visto um dia antes.

Landor era casado — sua esposa era uma mulherzinha mirrada, pequenina e magra, com uma cara aflita. Tinha também uma filha, uma mocinha por volta dos catorze anos. Pela primeira vez, Blore perguntou-se que fim aquela família teria levado...

(O revólver. Onde tinha ido parar o revólver? Isso era muito mais importante...)

Quanto mais pensava nisso, mais intrigado ficava... Não entendia a questão do revólver.

Alguém, na casa, estava com o revólver...

Lá embaixo, um relógio soou — 1h da manhã.

O fluxo de pensamentos de Blore foi subitamente interrompido. Ele se sentou na cama, repentinamente alerta. Pois tinha ouvido um ruído — um som bem leve, abafadiço — em algum lugar próximo à porta de seu quarto.

Alguém estava se esgueirando pela casa às escuras.

Sua testa começou a porejar. Quem era, movendo-se às escondidas, em silêncio, pelos corredores? Alguém que não tinha em mente nada de bom, isso ele podia apostar!

Sem fazer o menor ruído, apesar de todo o peso do seu corpo, saiu da cama e em duas passadas largas colou o ouvido à porta e ficou à escuta.

Mas não ouviu novamente o ruído. Porém Blore estava convencido de que não tinha se enganado. Ouvira de fato um som de passos junto à sua porta. Os cabelos se arrepiaram levemente. Mais uma vez, conheceu o medo...

Alguém se esgueirava, furtivamente, no meio da noite.

Ele ficou à escuta, mas não ouviu de novo o ruído.

E agora uma nova tentação o atacava. Queria, desesperadamente, sair e investigar. Se pelo menos pudesse ver quem andava zanzando e espreitando na escuridão!

Mas abrir a porta seria um gesto insensato. Muito provavelmente era isso que a figura de tocaia estava esperando. Quem sabe até havia, de propósito, se deixado ouvir por Blore, contando que ele sairia para investigar.

Blore manteve-se de pé, imóvel, com o corpo rígido, escutando. Agora ouvia ruídos por toda parte, coisas estalando, crepitando, farfalhando, sussurros misteriosos, mas seu cérebro realista e obstinado conhecia esses sons pelo que eram — as criações de sua própria imaginação exaltada.

Então, de repente, ouviu algo que *não* era imaginação. Passos, muito suaves, bastante cautelosos, mas claramente audíveis para um homem que, como Blore naquele instante, aplicasse toda a sua capacidade auditiva — naquele momento Blore era, literalmente, todo ouvidos.

Os passos avançaram com suavidade pelo corredor (tanto o quarto de Armstrong quanto o de Lombard ficavam mais longe do topo da escada que o seu). Passaram de mansinho pela sua porta, sem hesitação nem vacilo.

Ao constatar que os passos não pararam, Blore decidiu-se.

Pretendia ver quem era! Os passos tinham definitivamente passado por sua porta, rumo à escada. Onde é que o sujeito estava indo?

Quando Blore por fim passou à ação, agiu com surpreendente rapidez para um homem que parecia tão pesado e lento. Andando na ponta dos pés, voltou à cama, meteu no bolso a caixa de fósforos, tirou da tomada a luminária da mesa de cabeceira, apanhou o suporte e enrolou o fio ao redor. Era uma peça de cromo com uma pesada base de ebonite — uma arma útil.

Silenciosamente, atravessou o quarto, retirou a cadeira que calçava a maçaneta da porta e, com precaução, abriu a fechadura e os ferrolhos. Saiu para o corredor. Ao perceber um leve barulho no saguão embaixo, percorreu a extensão do corredor até o patamar — estava apenas de meias, o que abafava o ruído de seus passos.

Nesse momento, entendeu por que tinha ouvido com tanta nitidez todos aqueles sons. O vento havia se aquietado completamente, e o céu devia estar limpo. Um luar pálido penetrava pela janela entre dois lances da escada, iluminando o saguão embaixo.

Por um instante, Blore vislumbrou um vulto que acabava de sair pela porta da frente.

Já estava prestes a lançar-se escada abaixo e perseguir a figura quando se deteve.

Mais uma vez, quase agira como um tolo! Aquilo talvez fosse uma armadilha, um chamariz para atraí-lo e convencê-lo a sair da casa!

Mas o que o outro homem não percebera é que tinha cometido um engano, entregando-se direitinho nas mãos de Blore.

Pois, dos três quartos ocupados, *um devia estar agora vazio*! Tudo o que precisava fazer era verificar *qual*!

Blore voltou rapidamente pelo corredor.

Parou primeiro diante da porta do quarto do doutor Armstrong e bateu. Não houve resposta.

Esperou um minuto, depois foi até o quarto de Philip Lombard.

Ali a resposta veio imediatamente:

— Quem é?

— Blore. Acho que Armstrong não está no quarto dele. Espere só um instante.

Foi até a porta do final do corredor e bateu:

— Miss Claythorne, miss Claythorne.

A voz sobressaltada de Vera respondeu:

— Quem é? O que foi?

— Está tudo bem, miss Claythorne. Espere um minuto. Daqui a pouco eu volto.

Correu de novo até o quarto de Lombard, no instante em que ele abria a porta e assomava no corredor, segurando uma vela na mão esquerda. Tinha enfiado as calças por cima das calças do pijama; a mão direita estava enfiada no bolso do paletó do pijama.

Em tom azedo, perguntou:

— Mas que diabo está acontecendo aqui?

Blore explicou tudo rapidamente. Os olhos de Lombard se iluminaram.

— Armstrong, hein? Então ele é o gato entre os pombos, o gato escondido com o rabo de fora! — Caminhou até a porta do quarto do médico. — Sinto muito, Blore, mas eu não aceito nada em confiança.

Por via das dúvidas e como medida de cautela, deu pancadas secas na porta.

— Armstrong... Armstrong.

Não houve resposta.

Lombard ajoelhou-se e espiou pelo buraco da fechadura. Cautelosamente, inseriu o dedo mínimo no buraco e disse:

— A chave não está do lado de dentro da porta.

Blore concluiu:

— Isso significa que ele fechou a porta por fora e levou a chave!

Philip fez um gesto afirmativo com a cabeça:

— Precaução óbvia. *Nós o pegaremos, Blore... Desta vez, nós o pegaremos!* Espere meio minuto.

Correu até a porta de Vera e chamou:

— Vera.

— Sim.

— Estamos caçando Armstrong. Ele não está no quarto. Aconteça o que acontecer, *não abra sua porta*. Entendeu?

— Sim, entendi.

— Se Armstrong aparecer aqui e disser que eu fui morto ou que Blore foi morto, *não dê ouvidos a ele*. Entendeu? Só abra a porta se *Blore e eu* falarmos com a senhorita. Entendeu?

Vera respondeu:

— Sim. Não sou uma tola completa.

Lombard pôs fim à conversa:

— Bom.

E juntou-se a Blore, dizendo:

— E agora... atrás dele! A caçada começou!

Blore disse:

— É melhor tomarmos cuidado. Ele tem um revólver, lembre-se.

Philip Lombard desceu a escada rindo à socapa:

— Aí é que o senhor se engana. — Abriu a porta da frente e comentou:

— O trinco está puxado... para que ele pudesse entrar de novo facilmente.

E continuou:

— O revólver está comigo!

Enquanto falava, mexeu no bolso e deixou à vista metade da arma. — Encontrei na minha gaveta esta noite. Alguém colocou lá de volta.

Blore estacou no degrau da porta. A expressão de seu rosto havia se alterado. Lombard percebeu e, impaciente, disse:

— Não seja um idiota de uma figa, Blore. Não vou atirar no senhor! Volte e trancafie-se de novo no seu quarto, se quiser! Eu vou atrás de Armstrong.

E saiu para o luar. Depois de um instante de hesitação, Blore o seguiu. Pensava:

"Acho que estou brincando com fogo, mas afinal de contas..."

Afinal de contas, não era a primeira vez que lidava com criminosos armados. Podia ter defeitos, mas a falta de coragem não era um deles. Era só mostrar a ele o perigo, e ele o enfrentaria bravamente. Não tinha medo do perigo claro e manifesto, apenas do perigo indefinido, com traços de sobrenatural.

6

VERA, DEIXADA SOZINHA À ESPERA dos resultados, levantou-se e vestiu-se.

Uma ou duas vezes, lançou olhares rápidos para a porta. Era uma boa porta, bastante sólida. Estava fechada à chave e aferrolhada, e tinha uma cadeira de carvalho travando a maçaneta.

Não podia ser arrombada. Certamente não pela ação do doutor Armstrong, que não era um homem fisicamente vigoroso.

Se ela fosse o doutor Armstrong e tivesse a intenção de assassinar alguém, faria uso da astúcia, e não da força.

Vera entreteve-se em refletir sobre os meios que ele poderia empregar.

Poderia, como Philip havia sugerido, anunciar que um dos outros dois homens estava morto. Ou, possivelmente, podia fingir que ele próprio estava mortalmente ferido, arrastando-se e gemendo até a porta dela.

Havia outras possibilidades. Podia informá-la de que a casa estava pegando fogo. Mais ainda, ele próprio era capaz de incendiar a casa... Sim, isso seria uma possibilidade: atrair os outros dois homens para fora da casa e depois, tendo preparado de antemão uma trilha de gasolina, atear fogo. E ela, feito uma idiota, continuaria trancafiada no seu quarto até que fosse tarde demais.

Vera caminhou até a janela. A situação não era tão ruim assim. Em caso de emergência, era possível escapar por ali. Isso significava que teria de cair... mas, convenientemente, havia um canteiro de flores bem embaixo.

Ela se sentou e, apanhando o seu diário, começou a escrever numa letra clara e fluente.

É preciso passar o tempo.

De repente, enrijeceu o corpo, em posição atenta. Tinha ouvido um ruído. Era, pensou ela, o som de vidro sendo quebrado. E vinha do andar térreo.

Aguçou o ouvido, mas o som não se repetiu.

Ouviu, ou pensou ter ouvido, sons de passos furtivos, rangidos nos degraus da escada, um roçar de roupa, nada definido, e ela concluiu, como Blore fizera antes, que essa saraivada de ruídos provinha unicamente da sua própria imaginação.

Porém, pouco depois, ouviu sons de natureza mais concreta. Pessoas andando lá embaixo, um murmúrio, vozes sussurrando. E então o som muito nítido de alguém subindo a escada... portas abrindo e fechando... pés que subiam até o sótão. Mais ruídos lá em cima.

Por fim os passos fizeram-se ouvir no corredor. Lombard disse:

— Vera? Tudo bem?

— Sim. O que aconteceu?

Blore perguntou:

— Vai nos deixar entrar?

Vera foi até a porta. Retirou a cadeira, virou a chave, deslizou o ferrolho. Abriu a porta. Os dois homens estavam ofegantes, com os pés e a barra das calças ensopados.

Ela repetiu a pergunta:

— O que aconteceu?

Lombard encarregou-se de responder:

— *Armstrong desapareceu...*

7

VERA EXPRIMIU ESPANTO:

— O quê?

Lombard disse:

— Escafedeu-se. Sumiu completamente da ilha.

Blore corroborou:

— Escafedeu-se, essa é a palavra! Como num passe de mágica.

Vera reagiu com impaciência:

— Tolice! Ele está escondido em algum lugar!

Blore discordou:

— Não, não está! Posso assegurar que não há nenhum esconderijo nesta ilha. É lisa como a palma da mão. Lá fora há luar. Está claro como o dia. E é impossível encontrá-lo.

Vera tentou argumentar:

— Talvez ele tenha voltado para casa.

Blore disse:

— Já pensamos nisso. Já reviramos a casa de cima a baixo. A senhorita deve ter ouvido nossa movimentação. Ele não está aqui, estou dizendo. Desapareceu... evaporou-se, sumiu...

Vera continuava incrédula:

— Não acredito.

Lombard disse:

— É verdade, minha cara.

Depois de uma pausa, continuou:

— Há mais um pequeno detalhe. Uma vidraça da sala de jantar foi quebrada... *e só há três soldadinhos em cima da mesa.*

1

NA COZINHA, TRÊS PESSOAS SENTADAS tomavam o café da manhã. Lá fora, o sol brilhava. O dia estava lindo.

A tempestade era coisa do passado.

E, com a mudança do tempo, mudara também o estado de ânimo dos prisioneiros da ilha.

Agora se sentiam como quem acaba de acordar de um pesadelo. Ainda corriam perigo, mas um perigo à luz do dia. A paralisante atmosfera de medo que os envolvera na véspera como uma mortalha, enquanto os golpes de vento uivavam lá fora, havia desaparecido.

Lombard disse:

— Hoje tentaremos mandar sinais com um espelho, do ponto mais alto da ilha. Espero que, com sorte, algum rapaz esperto passeando no penhasco reconheça os sinais de s.o.s quando os vir. De noite, podemos tentar acender uma grande fogueira — só que não temos muita lenha; por outro lado, talvez pensem que estamos dando uma festa, com dança e cantoria.

Vera parecia otimista:

— Com certeza alguém entenderá os sinais do código Morse. E aí virão para nos levar embora daqui. Muito antes de anoitecer.

Lombard disse:

— Sim, o tempo está bom, é verdade, mas o mar ainda não se acalmou. As ondas estão impressionantes! Ninguém terá condições de trazer um barco até a ilha antes de amanhã.

Vera explodiu:

— Outra noite neste lugar!

Lombard deu de ombros:

— Pode ser que tenhamos de encarar a situação! Creio que vinte e quatro horas, no mais tardar, e isso tudo terá fim. Se durarmos até lá, estaremos salvos.

Blore limpou a garganta e disse:

— Falta entender uma coisa direito. É melhor chegarmos a um acordo primeiro. O que aconteceu com Armstrong?

Lombard respondeu:

— Bem, temos um indício. Só sobraram três soldadinhos na mesa da sala de jantar. Parece que Armstrong conheceu a indesejada das gentes.

Vera retrucou:

— Então por que não encontramos o corpo?

Blore era da mesma opinião:

— Exatamente.

Balançando a cabeça, Lombard respondeu:

— É muito esquisito, não há como entender essa maldita coisa.

Em tom de dúvida, Blore levantou uma hipótese:

— O cadáver pode ter sido jogado no mar.

Lombard respondeu com veemência:

— Por quem? Pelo senhor? Por mim? O senhor o viu saindo pela porta da frente. Veio ao meu quarto chamar-me. Saímos juntos para procurá-lo. Com mil diabos! Em que momento eu teria tido tempo de matá-lo e arrastar o corpo pela ilha?

Blore respondeu:

— Não sei, mas sei de uma coisa.

— O quê? — perguntou Lombard.

— O revólver. O revólver era seu. Está em seu poder agora. Não há como provar que não tenha estado o tempo todo em seu poder.

— Ora, Blore, não me venha com essa! Fomos todos revistados.

— Sim, o senhor pode ter escondido a arma antes disso. E depois a pegou de volta.

— Meu caro cabeça-dura, juro que alguém colocou novamente o revólver na minha gaveta. Quando o encontrei lá, tive a maior surpresa da minha vida.

Blore estava cético:

— E pede que acreditemos numa coisa dessas! Por que diabo Armstrong ou qualquer um iria devolver o revólver?

Num gesto de profundo desânimo, Lombard ergueu os ombros:

— Não faço a menor ideia. É simplesmente uma loucura. É a última coisa que alguém poderia esperar. Parece não fazer o menor sentido.

Blore concordou:

— Não, não faz mesmo. O senhor podia ter pensado numa história melhor.

— Prova ainda mais irrefutável de que estou dizendo a verdade, não é?

— Não é o que penso.

Philip disse:

— Não, é claro que não é.

Blore reagiu:

— Escute aqui, mr. Lombard, se o senhor é de fato um homem honesto, como aspira ser...

Philip murmurou:

— Mas quando foi que afirmei ser um homem honesto? Não, claro que não, eu nunca disse uma coisa dessas.

Blore continuou, de modo impassível:

— Se o senhor está falando a verdade... só há uma coisa a fazer. Enquanto o senhor tiver em suas mãos o revólver, miss Claythorne e eu estamos à sua mercê. A única coisa honesta a fazer é guardar o revólver junto com as outras coisas que estão trancadas... e o senhor e eu continuaremos de posse das duas chaves.

Philip Lombard acendeu um cigarro.

Em meio a uma baforada, disse:

— Não seja estúpido.

— Não concorda com isso?

— Não, não concordo. O revólver é meu. Preciso dele para me defender... e vou ficar com ele.

Blore disse:

— Neste caso, só nos resta concluir uma coisa.

— Que eu sou U. N. Owen? Ora, pense o que quiser, maldito seja. Só faço uma pergunta: se sou eu o assassino, por que é que não o pus a nocaute com um tiro ontem à noite? Se eu quisesse, teria feito, tive oportunidade para tanto mais de vinte vezes.

Blore balançou a cabeça e admitiu:

— Para dizer a verdade, não sei... isso é fato. O senhor deve ter tido algum motivo.

Em silêncio, Vera limitava-se a escutar os dois, sem tomar parte do bate-boca. Mas agora parecia agitada e decidiu intervir:

— Acho que os dois estão agindo como um par de idiotas.

Lombard olhou para ela.

— Que história é essa?

— Os senhores esqueceram os versos do poeminha. Não veem que são uma pista?

E, numa voz expressiva, recitou:

Quatro soldadinhos vão ao mar; um não teve vez,
Foi engolido pelo arenque defumado, e então sobraram três.

E continuou:

— *O arenque defumado* — essa é a pista crucial. Armstrong não morreu... Ele tirou o soldadinho de porcelana para fazê-los pensar que está morto. Podem dizer o que quiserem. Armstrong ainda está na ilha. O seu desaparecimento é apenas um arenque defumado que ele deixou pelo caminho...*

---

* Há aqui um trocadilho: em inglês, *herring* é "arenque" — o gorduroso peixe do gênero *Clupea*. — *Red herring* é "arenque defumado" — mas também é uma expressão com o sentido de "pista falsa", "disfarce", "tentativa de desviar o assunto", "despiste", "falácia". Em romances (principalmente policiais e de mistério), filmes e séries de televisão, a expressão dá nome a um recurso de roteiro em que determinado elemento do enredo é utilizado para distrair o leitor, de modo que não descubra logo algum segredo da trama (uma reviravolta na história ou a identidade do assassino, por exemplo). Esse uso da expressão vem da tradição britânica de treinar cães farejadores a seguir o rastro de um cheiro aprendendo primeiro a identificar o odor de pedaços de arenque salgado e defumado. [N.T.]

Lombard voltou a sentar-se e disse:

— Sabe de uma coisa? A senhorita bem que pode estar com a razão.

Blore confirmou:

— Sim, mas mesmo se estiver, e daí? Onde está ele? Já vasculhamos a ilha inteira, de cabo a rabo.

Vera respondeu com escárnio:

— Nós todos procuramos o revólver, não foi? E mesmo assim não conseguimos encontrá-lo. Mas o tempo todo a arma estava em algum lugar!

Lombard resmungou entredentes:

— Há uma pequena diferença de tamanho, minha cara, entre um homem e um revólver.

Vera devolveu:

— Não me interessa... Tenho certeza de que estou com a razão.

Blore murmurou:

— Ora, então ele já estava revelando tudo, já estava se denunciando, não estava? Mencionar com todas as letras um arenque defumado nos versos é trair-se. Ele poderia ter escrito de um jeito um pouco diferente.

Vera perdeu um pouco a paciência:

— Mas o senhor não vê que ele é louco? Tudo isso aqui é uma loucura! Essa coisa de seguir os versos do poema é uma loucura! Fantasiar o juiz, matar Rogers enquanto cortava lenha... drogar mrs. Rogers para que ela dormisse para sempre... providenciar uma abelha quando miss Brent morreu! É como se fôssemos brinquedinhos nas mãos de uma criança horrível, peças de um joguinho macabro. Tudo tem de se encaixar no poema.

Blore concordou:

— Sim, a senhorita tem razão. — Após pensar um pouco, acrescentou:

— Em todo caso, não há jardim zoológico algum na ilha. Quanto a isso, ele terá um pouco de trabalho.

Vera berrou:

— Mas será que o senhor não entende? *Nós somos o zoológico*. Ontem à noite, já não éramos mais seres humanos. *Nós somos o zoo...*

2

OS TRÊS PASSARAM A MANHÃ nos rochedos, revezando-se no manejo do espelho para transmitir sinais à terra firme.

Não havia o menor indício de que alguém os tivesse visto. Nenhum sinal de resposta. O dia estava esplêndido, com uma ligeira cerração. Lá embaixo, o mar cor de chumbo se erguia e mugia, em ondas gigantescas. Nenhum barco saíra.

Tinham realizado outra busca pela ilha, mais uma vez malograda. Não encontraram nenhum vestígio do médico desaparecido.

Do lugar onde os três estavam, Vera lançou um olhar para a casa.

Num misto de emoção e embaraço, e com a voz ligeiramente embargada, ela disse:

— Aqui fora, ao ar livre, a pessoa se sente mais segura... Não vamos mais entrar na casa.

Lombard emendou:

— Até que não é má ideia. Aqui estamos bem seguros, ninguém pode chegar até nós sem que o avistemos com bastante antecedência.

Vera reiterou a ideia:

— Ficaremos aqui.

Blore disse:

— Temos de passar a noite em algum lugar. E aí teremos de voltar para a casa.

Vera tremeu só de pensar nisso.

— Não posso suportar isso! *Não consigo* aguentar outra noite!

Philip disse:

— A senhorita estará a salvo... trancada no seu quarto.

Vera sussurrou:

— Suponho que sim.

Esticando os braços, de modo preguiçoso, ela murmurou:

— É uma delícia... sentir o sol outra vez...

Em seu íntimo, pensava:

"Que estranho... Sinto-me quase feliz. Entretanto, suponho que esteja verdadeiramente correndo perigo... De qualquer maneira, agora, nada parece mais importar... não à luz do dia... Sinto-me poderosa... sinto que não posso morrer..."

Depois de consultar o relógio de pulso, Blore disse:

— São 14h. Que tal irmos almoçar?

Obstinadamente, Vera repudiou a sugestão:

— Eu não vou voltar para a casa. Vou ficar aqui, ao ar livre.

— Oh, deixe disso, miss Claythorne. A senhorita deve saber que precisa manter as forças.

— Só de ver uma lata de língua, vou vomitar! — respondeu Vera. — Não quero saber de comida nenhuma. As pessoas que fazem regime às vezes ficam dias a fio sem comer nada.

Blore disse:

— Tudo bem, mas eu preciso fazer minhas refeições regularmente. E mr. Lombard?

Philip respondeu:

— Sabe de uma coisa? Não acho particularmente agradável ao paladar o sabor da língua em conserva. Vou ficar aqui com miss Claythorne.

Blore hesitou. Vera disse:

— Acho que não há problema algum. Não acredito que ele vá atirar em mim assim que o senhor virar as costas, se é disso que tem medo.

Blore disse:

— Se a senhorita acha que não há perigo, por mim tudo bem. Mas havíamos chegado a um consenso de que era melhor não nos separarmos.

Philip disse:

— É o senhor que quer ir para o covil do leão. Posso acompanhá-lo, se quiser.

— Não, não quero. O senhor fica aqui.

Philip riu:

— Então o senhor ainda está com medo de mim? Ora, se eu quisesse, podia atirar nos dois neste exato instante.

Blore disse:

— Sim, mas isso não estaria de acordo com o plano. É um de cada vez, e a coisa tem de ser feita de determinada maneira.

— Bem — disse Philip —, parece que o senhor sabe tudo a respeito disso.

— Obviamente — disse Blore —, é um pouco temerário ir à casa sozinho...

Em voz suave, Philip disse:

— E, portanto, *eu vou emprestar ao senhor o meu revólver?* A resposta é não, *não vou!* A coisa não é assim tão simples, obrigado.

Blore deu de ombros e começou a subir a íngreme ladeira rumo à casa.

Com voz gentil, Lombard provocou:

— Hora da refeição no zoológico! Os animais têm hábitos muitos regulares!

Ansiosa, Vera perguntou:

— Não é muito arriscado o que ele está fazendo?

— De certo modo a senhorita quer dizer que... não, não acho que seja! Armstrong não está armado, sabe? E, de qualquer maneira, fisicamente Blore é duas vezes mais forte do que ele e está bastante alerta. Além disso, é absolutamente impossível que Armstrong esteja na casa. Eu *sei* que ele não está lá!

— Mas... existe outra solução?

Philip respondeu com voz suave:

— Existe Blore.

— Oh... o senhor acha mesmo que...?

— Ouça bem, minha menina. A senhorita ouviu o que ele disse. Tem de admitir que, se for verdade, *não existe a menor possibilidade de eu ter alguma coisa a ver com o desaparecimento de Armstrong.* A história de Blore me inocenta, *mas não o livra de culpa!* Só temos a palavra dele de que ele realmente ouviu passos e viu um homem descendo a escada e saindo pela porta da frente. Pode ser tudo mentira. Pode ser que ele tenha se livrado de Armstrong algumas horas antes.

— Mas como?

Lombard deu de ombros.

— Isso não sabemos. Mas, se quer mesmo saber o que penso, só temos um perigo a temer, e esse perigo é Blore! O que sabemos a respeito desse homem? Menos que nada! Toda essa história de ser ex-policial pode ser balela, conversa-fiada! Ele pode ser qualquer um... um milionário louco... um homem de negócios tarado... um condenado fugido da prisão de Bradmoor. Uma coisa é certa. Ele *poderia* perfeitamente ter cometido todos esses crimes.

Vera empalideceu. Quase sem fôlego, perguntou com voz trêmula:

— E supondo que ele nos... pegue?

Lombard falou com voz tranquila, batendo no revólver que trazia no bolso:

— Vou dar um jeito para que isso não aconteça.

Depois olhou para Vera, com ar curioso, e acrescentou:

— A fé que tem em mim é tocante, não é, Vera? Tem certeza de que eu não atiraria na senhorita?

Vera respondeu:

— É preciso confiar em alguém... Para dizer a verdade, acho que o senhor está enganado a respeito de Blore. Ainda acredito que o assassino é Armstrong.

Repentinamente, ela se virou para ele.

— O senhor não sente... o tempo todo... que há *alguém*? Alguém à espreita, observando e esperando?

Lombard respondeu pausadamente:

— Isso é apenas nervosismo.

Avidamente, Vera perguntou:

— Então o senhor *sentiu* a mesma coisa?

Ela estremeceu e achegou-se um pouco mais a Philip:

— Diga-me... Não acha que... — Parou de falar, depois continuou: — Li uma história uma vez... sobre dois juízes que chegaram a uma cidadezinha nos Estados Unidos... juízes do Supremo Tribunal. Eles faziam justiça — justiça absoluta. *Porque... não eram deste mundo.*

Lombard ergueu as sobrancelhas:

— Visitantes celestes, hein? Não, eu não acredito no sobrenatural. Esse negócio aqui é coisa bem humana.

Vera murmurou:

— Às vezes... não tenho certeza...

Lombard olhou para ela e disse:

— Isso é a consciência... — Após um momento de silêncio, ele falou com tranquilidade:

— Então, no fim das contas a senhorita afogou *mesmo* aquele menino, não foi?

Vera respondeu com veemência:

— Não! Não! O senhor não tem o direito de dizer uma coisa dessas!

Ele riu, sossegado:

— Oh, sim, a senhorita o afogou, minha boa menina! Não sei por quê. Nem posso imaginar o motivo. Provavelmente havia algum homem envolvido. Foi isso mesmo?

Uma súbita sensação de lassidão, de intenso cansaço, espalhou-se pelos braços e pernas de Vera. Ela respondeu numa voz embotada:

— Sim... havia um homem envolvido...

— Obrigado. É o que eu queria saber — agradeceu Lombard, em tom gentil.

Vera endireitou-se bruscamente e exclamou:

— Que foi isso? Não foi um terremoto?

Lombard respondeu:

— Não, não. Esquisito, porém... um baque sacudiu o chão. E eu pensei... a senhorita ouviu algo parecido com um grito? Eu ouvi.

Os dois olharam para a casa.

— Veio de lá. É melhor irmos ver — sugeriu Lombard.

— Não, não, eu não vou.

— Como quiser. Eu vou.

Desesperada, Vera cedeu:

— Tudo bem, eu vou.

Subiram a encosta em direção à casa. À luz do sol, o terraço tinha um aspecto pacífico e inócuo. Hesitaram ali um minuto; depois, em vez de entrar pela porta da frente, rodearam cautelosamente a casa.

Encontraram Blore. Estava caído estatelado, com os braços e pernas esticados, feito uma águia, na face leste do terraço de pedra; sua cabeça fora esmagada e destroçada por um enorme bloco de mármore branco.

Philip olhou para cima e perguntou:

— De quem é esta janela?

Vera respondeu em voz baixa e trêmula:

— É a janela do meu quarto... *e este é o relógio da minha lareira...* Agora eu me lembro. Tinha... a forma de um urso.

E repetiu a última parte de sua frase, com voz trêmula de pavor:

— Tinha a forma de um urso...

3

PHILIP SEGUROU COM FORÇA o ombro de Vera e, com sua voz lúgubre e urgente, disse:

— Isso resolve a questão. Armstrong está escondido em algum lugar da casa. Vou pegá-lo.

Mas Vera agarrou-se a ele, aos berros:

— Não seja tolo. Agora somos nós! Somos os próximos! Ele quer que saiamos à procura dele! Está contando com isso!

Philip estacou. Com ar pensativo, assentiu:

— Há algum sentido nisso que a senhorita acabou de dizer.

Vera bradou:

— De qualquer forma, o senhor admite que eu tinha razão!

Lombard fez um gesto afirmativo com a cabeça.

— Sim... a senhorita ganhou! É Armstrong, sim, sem dúvida. Mas onde diabos ele se escondeu? Revistamos a casa inteira meticulosamente, passamos um pente-fino.

Vera respondeu, em tom aflito:

— Se não o acharam ontem à noite, não é agora que o senhor vai achá-lo... Isso é puro bom senso.

Lombard estava relutante:

— Sim, mas...

— Ele deve ter preparado um esconderijo de antemão, naturalmente... é claro que faria isso. O senhor sabe, feito os alçapões, portas falsas e entradas secretas dos velhos castelos e antigas mansões senhoriais.

— Esta não é uma casa antiga desse tipo.

— Ele pode ter mandado fazer.

Philip Lombard balançou a cabeça e disse:

— Nós andamos pela casa toda, medimos, comparamos, avaliamos... naquela primeira manhã. Juro que não há nenhum lugar secreto.

Vera disse:

— Deve haver...

Lombard disse:

— Eu gostaria de ver...

Vera gritou:

— Sim, o senhor gostaria de ver! E ele sabe disso! Ele está lá dentro... esperando.

Mostrando em parte o revólver que levava no bolso, Lombard disse:

— Eu tenho isto aqui comigo, a senhorita sabe.

— O senhor disse que Blore não corria perigo... que era duas vezes mais forte do que Armstrong. Sim, fisicamente era, e também estava atento e de prontidão. Mas o que o senhor parece não compreender é que Armstrong está *louco*! E um louco conta com todas as vantagens. Tem a faca e o queijo nas mãos. É duas vezes mais esperto do que qualquer pessoa no seu juízo perfeito.

Lombard recolocou o revólver no bolso e disse:

— Vamos, então.

4

POR FIM, PHILIP LOMBARD PERGUNTOU:

— O que a senhorita vai fazer quando anoitecer?

Vera não respondeu. O outro continuou, em tom acusador:

— Ainda não tinha pensado nisso?

Ela respondeu, com voz impotente:

— O que é que podemos fazer? Oh, meu Deus, estou *apavorada*...

Pensativo, Philip Lombard disse:

— O tempo está formidável. Hoje à noite teremos lua. Precisamos encontrar um lugar, lá em cima, nos rochedos mais altos, talvez. Podemos ficar sentados lá e esperar amanhecer. Não devemos dormir... Temos de manter a vigília. E, se alguém se aproximar de nós, eu atiro!

Fez uma pausa:

— A senhorita sentirá frio, talvez, com esse vestido fino?

Vera respondeu com uma risada roufenha:

— Frio? Sentiria mais frio se estivesse morta!

Philip Lombard respondeu com voz serena:

— Sim, é verdade...

Vera remexia-se, incapaz de se manter quieta.

— Vou enlouquecer se continuar sentada aqui por mais tempo. Vamos andar um pouco.

— Tudo bem.

Caminharam a passos lentos para cima e para baixo, ao longo da linha de rochedos diante do mar. O sol começava a cair. A luz dourada e suave do poente envolvia os dois num esplendor de ouro.

Com um súbito risinho nervoso, Vera disse:

— Pena que não possamos tomar banho...

Philip, que estava olhando o mar lá embaixo, exclamou abruptamente:

— O que é aquilo lá? Está vendo... perto do rochedo grande? Não... um pouco mais para a direita.

Vera olhou atentamente e disse:

— Parece ser a roupa de alguém!

— Um banhista, será? — Lombard riu: — Esquisito. Suponho que sejam apenas algas.

Vera sugeriu:

— Vamos lá dar uma olhada.

— São roupas — constatou Lombard, quando chegaram mais perto. — Uma trouxa de roupas. Aquilo ali é uma bota. Vamos descer por aqui.

Com alguma dificuldade, desceram rochedos abaixo.

Vera estacou bruscamente, exclamando:

— *Não são roupas... É um homem...*

O homem estava entalado no espaço estreito entre dois penedos; havia sido arremessado ali pela maré, algumas horas antes.

Num último esforço, Lombard e Vera chegaram ao lugar e inclinaram-se para ver melhor.

Um rosto roxo e descorado... uma horrenda cara de afogado...

Lombard disse:

— Meu Deus! É *Armstrong*...

1

PASSARAM-SE MILÊNIOS... MUNDOS GIRARAM e rodopiaram loucamente ao redor de suas órbitas... O tempo ficou imóvel... parado — transcorria aos milhares de anos, eternidades...

Não, foi apenas um minuto, se muito...

Duas pessoas, sobre as pedras, olhavam para um cadáver...

Lentamente, muito lentamente, Vera Claythorne e Philip Lombard ergueram a cabeça e entreolharam-se...

2

LOMBARD RIU:

— Então é isso, é isso, Vera?

Vera disse:

— Não há mais ninguém nesta ilha... absolutamente ninguém... *exceto nós dois...*

A voz dela era um sussurro, nada mais.

Lombard disse:

— Precisamente. Portanto, agora sabemos onde estamos pisando, não é?

Vera perguntou:

— Como foi que funcionou... aquele truque do urso de mármore?

Lombard deu de ombros.

— Um passe de mágica, minha cara... e dos bons...

Os olhos dos dois encontraram-se mais uma vez.

Vera pensou:

"Por que é que nunca olhei direito para o rosto dele antes? Um lobo... sim, é isso... uma cara de lobo... Esses dentes horríveis..."

Lombard falou... sua voz era um rosnado... perigoso, ameaçador:

— Este é o fim, a senhorita entende? Chegamos agora à hora da verdade. *E é o fim...*

Vera respondeu num sussurro:

— Eu entendo...

Ela olhou fixamente para o mar. O general Macarthur tinha encarado o mar... quando?... ainda ontem? Ou no dia anterior? Ele também havia dito "Este é o fim...".

Ele dissera isso com resignação, aceitando o fato quase que com satisfação.

Mas, na voz de Vera, as palavras — a ideia em si — eram carregadas de revolta.

Não, não podia ser o fim.

Ela olhou para o cadáver e disse:

— Pobre doutor Armstrong...

Lombard esboçou um risinho desdenhoso e disse:

— O que é isso? Piedade feminina?

Vera respondeu:

— Por que não? O senhor não tem nenhuma piedade?

— Não sinto piedade alguma pela senhorita. Não conte com isso!

Vera olhou novamente para o corpo do morto e disse:

— Precisamos tirá-lo daí, carregá-lo para a casa.

— Para reuni-lo às outras vítimas, suponho? Tudo meticulosamente bem-arrumado... Por mim, ele pode ficar onde está.

Vera disse:

— Em todo caso, vamos tirá-lo do alcance do mar.

Lombard riu e respondeu:

— Como quiser.

Ele se curvou e deu um puxão no cadáver. Vera inclinou-se e encostou-se nele, ajudando-o. Ela puxava e arrastava com todas as forças que tinha.

Lombard ficou ofegante:

— Não é uma tarefa muito fácil.

No fim, porém, conseguiram arrastar o corpo para além da linha de preamar.

Endireitando-se, Lombard perguntou:

— Satisfeita?

— Completamente.

O tom de voz serviu de alerta para Lombard, que se virou num movimento brusco. Mesmo ao bater a mão no bolso, já sabia que o encontraria vazio.

Ela havia recuado um ou dois metros e estava bem de frente para ele, com o revólver em punho.

Lombard caiu em si:

— Então era essa a razão de sua solicitude feminina! Queria apenas roubar o que eu tinha no bolso.

Ela balançou a cabeça afirmativamente.

Segurava a arma com firmeza, resoluta, sem vacilar.

Agora a morte estava muito próxima de Philip Lombard. Nunca estivera tão próxima, e ele sabia.

Entretanto, ele ainda não se dava por derrotado.

Em tom autoritário, ordenou:

— Dê-me o revólver.

Vera gargalhou.

Ele insistiu:

— Vamos, passe-o para cá.

Seu cérebro ágil estava trabalhando a pleno vapor. De que maneira... qual o melhor método... conversar com ela, acalmá-la... convencê-la de que está segura... ou um bote certeiro, um salto rápido...

Durante toda a sua vida, Lombard havia sempre escolhido o caminho mais arriscado. Sem escolha, agora viu-se forçado a novamente optar por ele.

Falou pausadamente, em tom argumentativo:

— Agora preste bastante atenção, minha querida menina, ouça bem o que vou dizer...

E então, repentinamente, saltou. Rápido como uma pantera ou qualquer outro felino...

Automaticamente, Vera apertou o gatilho...

Atingido em pleno salto, durante um átimo o corpo de Lombard ficou suspenso no ar, depois caiu pesadamente no chão.

Vera aproximou-se cautelosamente, com o revólver engatilhado nas mãos.

Mas não havia necessidade de cautela.

Philip Lombard estava morto com o coração transpassado...

3

O ALÍVIO APODEROU-SE DE VERA — uma sensação enorme e deliciosa de conforto.

Finalmente, estava tudo acabado.

Não havia mais medo... mais nenhuma necessidade de robustecer e dominar os nervos...

Ela estava sozinha na ilha...

Sozinha com nove cadáveres...

Mas e daí? O que importava? Ela estava viva...

Ficou sentada ali... indescritivelmente feliz... envolta numa paz inebriante e indescritível...

O medo tinha chegado ao fim...

4

O SOL ESTAVA SE PONDO quando Vera, por fim, se mexeu. A reação abrupta havia deixado seu corpo paralisado, imóvel. Não havia nela lugar para outra coisa que não fosse a gloriosa sensação de segurança.

Agora ela percebia que estava com fome e com sono. Principalmente com sono. Queria jogar-se na cama e dormir, dormir, dormir...

Amanhã, talvez, viriam resgatá-la... mas ela já não se importava. Não se importava de ficar ali, agora que estava sozinha...

Oh! Bendita, bendita paz...

Pôs-se de pé e lançou um olhar furtivo para a casa.

Já não havia mais nada a temer! Não havia mais terrores à espreita! Apenas uma casa comum, moderna e bem construída. E, contudo, um pouco mais cedo, naquele mesmo dia, ela não conseguia olhá-la sem tremer de pavor...

O medo... que coisa estranha era o medo...

Bem, agora tudo tinha acabado. Ela havia vencido... triunfara sobre o mais mortal dos perigos. Graças à sua astúcia e destreza, ela havia conseguido inverter o jogo, virara o feitiço contra o feiticeiro e acabara com o seu pretenso destruidor.

Começou a andar em direção à casa.

O sol mergulhava no mar; no poente, o céu estava tingido de riscos vermelhos e alaranjados. Era um cenário belo e pacífico...

Vera pensou:

"Pode ser que isso tudo não passe de um sonho..."

Como estava cansada, terrivelmente cansada! Os braços e pernas doíam, as pálpebras caíam. Não sentir mais medo. Dormir. Dormir... dormir... dormir...

Dormir em segurança, já que agora estava sozinha na ilha. Um último soldadinho, completamente sozinho...

Ela sorriu para si mesma.

Entrou pela porta da frente. A casa também dava a sensação de estar estranhamente tranquila.

Vera pensou:

"Em circunstâncias normais, ninguém gostaria de dormir numa casa em que há um cadáver em praticamente todos os quartos!"

Será que devia ir à cozinha arranjar alguma coisa para comer?

Ela hesitou um momento e decidiu que não. Estava de fato muito cansada...

Na porta da sala de jantar, parou. Ainda havia três figurinhas de porcelana no centro da mesa.

Vera riu e disse:

— Estão atrasados, meus queridos.

Pegou dois deles, jogou-os pela janela, ouviu-os quebrando na pedra do terraço.

A terceira e última figurinha ela pegou e segurou na mão:

— Você vem comigo. Nós vencemos, meu querido! Nós vencemos!

Sob a luz agonizante do crepúsculo, o saguão estava escuro.

Vera começou a subir a escada, apertando o soldadinho na mão fechada. Dava passos lentos, porque subitamente suas pernas ficaram cansadas e pesadas.

"Um soldadinho fica sozinho, só resta um." Como era mesmo que terminava? Ah, sim: *"Ele se casou, e não sobrou nenhum"*.

Casar-se... Engraçado, de repente ela teve a sensação de que Hugo estava na casa...

Uma sensação muito forte. Sim, Hugo estava lá em cima, esperando por ela.

Vera disse a si mesma:

— Não seja tola. Você está tão cansada que fica imaginando as coisas mais fantasiosas...

Subindo os degraus, lentamente...

No topo da escada, alguma coisa caiu da sua mão, quase sem fazer ruído, na felpa macia do tapete. Ela não percebeu que tinha deixado cair o revólver. Só tinha consciência de que apertava entre os dedos uma figurinha de porcelana.

Como a casa estava silenciosa! E mesmo assim... não parecia uma casa vazia...

Hugo, ali em cima, esperando por ela...

"Um soldadinho fica sozinho, só resta um." Qual era mesmo o último verso? Algo sobre casar-se... ou seria outra coisa?

Agora ela tinha chegado à porta do seu quarto. Hugo estava ali dentro, esperando... ela tinha certeza absoluta disso.

Abriu a porta...

Soltou um arquejo...

O que era aquilo, pendurado no gancho que pendia do teto? Uma corda com o laço já pronto? E uma cadeira para subir em cima, uma cadeira que podia ser chutada para longe...

Aquilo era o que Hugo queria...

E, é claro, era o que dizia o último verso do poeminha:

— Ele se enforcou, e não sobrou nenhum.

A figurinha de porcelana caiu da mão dela, rolou despercebida e espatifou-se contra o guarda-fogo da lareira.

Como um autômato, Vera avançou. Este era o fim... ali, onde a mão fria e molhada (a mão de Cyril, é claro) tinha tocado sua garganta...

— *Você pode nadar até o rochedo, Cyril...*

Aquilo é que era assassinar alguém, tão fácil!

Mas, depois, a lembrança era inescapável...

Ela subiu na cadeira, com os olhos fixos à sua frente, feito uma sonâmbula... Ajustou o nó em torno do pescoço.

Hugo estava ali para ver se ela faria mesmo o que tinha de fazer.

Ela deu um pontapé na cadeira...

IRRITADO, SIR THOMAS LEGGE, comissário assistente da Scotland Yard, esbravejou:

— Mas essa história toda é inacreditável!

Em tom respeitoso, o inspetor Maine limitou-se a acatar:

— Eu sei, senhor.

O comissário continuou:

— Dez pessoas mortas numa ilha, e não há ali vivalma. Não faz o menor sentido!

Impassível, o inspetor Maine disse:

— Contudo, *aconteceu*, senhor.

— Maldição, Maine, alguém deve ter matado essa gente!

— É justamente esse o nosso problema, senhor.

— Nenhuma informação útil no laudo médico?

— Não, senhor. Wargrave e Lombard foram baleados, o primeiro com um tiro que penetrou a cabeça, o outro teve o coração transpassado. Miss Brent e Marston morreram envenenados por cianureto. Mrs. Rogers morreu em consequência de uma dose excessiva de hidrato de cloral. A cabeça de Rogers foi rachada ao meio. A cabeça de Blore foi esmagada. Armstrong morreu afogado. O crânio de Macarthur foi fraturado por um golpe na nuca, e Vera Claythorne enforcou-se.

Assustado e arrepiado, o comissário disse:

— A coisa foi feia... feia mesmo.

Depois de um ou dois minutos de reflexão, sir Thomas, ainda irritado, disse:

— O senhor está querendo me dizer que não conseguiu tirar nada de útil daquela gente de Sticklehaven? Com mil diabos, eles devem saber de alguma coisa!

O inspetor Maine deu de ombros:

— São gente decente e comum, é um vilarejo de pescadores modestos e honestos. Sabem que a ilha foi comprada por um homem chamado Owen — e isso é praticamente tudo o que sabem.

— Quem abasteceu a ilha e providenciou todos os arranjos necessários?

— Um homem chamado Morris. Isaac Morris.

— E o que ele tem a dizer sobre tudo isso?

— Ele não pode dizer nada, senhor, está morto.

O comissário franziu a sobrancelha.

— Sabemos alguma coisa a respeito desse tal Morris?

— Oh, sim, senhor, sabemos. Não era flor que se cheirasse, o tal mr. Morris. Estava implicado naquela fraude das ações da Bennito, três anos atrás — temos certeza disso, embora não possamos provar. Também andava metido no tráfico de drogas, mas também não temos provas. Era um sujeito muito cauteloso, o Morris.

— E ele estava por trás desse negócio da ilha?

— Sim, senhor. Foi ele quem fechou o negócio da compra... embora tenha deixado bem claro que estava apenas representando um terceiro, cujo nome permaneceu anônimo.

— Certamente será possível descobrir algo investigando os aspectos financeiros da coisa, não é?

O inspetor Maine sorriu:

— Se o senhor conhecesse Morris, nem sequer se daria o trabalho de fazer tal pergunta! O homem era capaz de manipular os números com tantas artimanhas, tantos ardis, tantos meios tortuosos que nem mesmo o mais renomado contador do país daria conta de desenrascar! Tivemos uma pequena amostra disso no caso da Bennito. Não, ele soube acobertar muito bem as pistas de quem o havia contratado.

O comissário suspirou. Maine continuou:

— Foi Morris quem fez todos os arranjos lá em Sticklehaven. Apresentou-se em nome do "mr. Owen", dizendo-se um representante ou agente. E ele se encarregou de explicar aos moradores locais que ali estava em curso alguma espécie de experiência — um tipo de aposta em que as pessoas passam uma semana numa "ilha deserta"..., e que, portanto, ninguém devia dar nenhuma atenção a qualquer pedido de ajuda vindo de lá.

Sir Thomas Legge remexeu-se inquieto na cadeira e perguntou:

— O senhor está querendo me dizer que essa gente não desconfiou de nada? Nem depois?

Maine deu de ombros:

— O senhor está se esquecendo de que anteriormente a ilha do Soldado havia pertencido a Elmer Robson, o jovem norte-americano. E lá ele dava as festas mais extraordinárias. Não tenho a menor dúvida de que a princípio a população local tenha arregalado os olhos, boquiaberta de espanto com as tais festas, e com razão. Mas com o tempo as pessoas acabaram se acostumando e começaram a achar que tudo o que se relacionasse com a ilha do Soldado seria necessariamente inacreditável. Pensando bem, senhor, é uma coisa natural.

Acabrunhado, o comissário assistente admitiu que talvez fosse mesmo assim.

Maine continuou falando:

— Fred Narracott... esse é o homem que levou de lancha os convidados para a ilha... disse uma coisa iluminadora. Ele afirmou ter ficado surpreso ao ver aquele tipo de gente. "Nada a ver com os convidados habituais de mr. Elmer Robson." Acho que foi justamente o fato de serem pessoas tão normais e tranquilas que o levou a desobedecer às ordens de Morris e ir de barco até a ilha depois de ouvir falar nos sinais de s.o.s.

— Quando é que ele e os outros homens foram à ilha?

— Os sinais foram vistos por um grupo de escoteiros na manhã do dia 11, dia em que não havia a menor possibilidade de chegar até lá. Os homens saíram na tarde do dia 12, assim que foi possível desembarcar. Todos têm certeza absoluta de que ninguém podia ter saído da ilha antes de eles lá chegarem. O mar estava muito agitado depois da tempestade.

— Alguém não poderia ter chegado à praia a nado?

— A ilha fica a quase dois quilômetros da costa; o mar estava revolto, as ondas de arrebentação quebravam com grande violência nos rochedos. E nos penedos havia muita gente, entre escoteiros e curiosos, espiando a ilha.

O comissário suspirou e disse:

— E o que o senhor me diz do disco de gramofone que encontrou na casa? Não conseguiu descobrir nada que pudesse ajudar?

O inspetor Maine respondeu:

— Andei investigando isso. O disco foi fornecido por uma firma de gravação, que faz coisas para teatro e efeitos sonoros para filmes. Foi enviado "ao ilustríssimo senhor U. N. Owen, aos cuidados de Isaac Morris", e aparentemente se destinava à representação amadora de uma peça até então inédita. O original datilografado foi devolvido juntamente com o disco.

Legge perguntou:

— E quanto ao conteúdo?

O inspetor Maine respondeu com voz sombria:

— Estou chegando lá, senhor, vou falar disso agora.

Limpou a garganta e continuou:

— Investiguei essas acusações da maneira mais completa que me foi possível.

"Começando pelos Rogers, que foram os primeiros a chegar à ilha. O casal trabalhava para uma certa miss Brady, que morreu repentinamente. Não consegui nenhuma informação definitiva com o médico que a atendeu. Ele diz que os Rogers com certeza não a envenenaram nem nada do tipo, mas pessoalmente acredita que alguma coisa esquisita *aconteceu...* ele desconfia que a mulher morreu em função de negligência por parte do casal. Diz que é o tipo de coisa quase impossível de provar.

"Depois vem o juiz Wargrave. No caso dele, tudo certo e esclarecido. Ele é o juiz que julgou e condenou Seton.

"A propósito, Seton era culpado, inequivocamente culpado. Depois que ele foi enforcado, novos indícios surgiram e provaram cabalmente a sua culpa. Mas na ocasião houve muitos comentários — de cada dez pessoas, nove achavam que Seton era inocente e que o sumário de culpa do juiz tinha sido vingativo.

"Descobri que Claythorne, a moça, foi governanta de uma família em que ocorreu uma morte por afogamento. Contudo, ela não parece ter tido nada a ver com isso; na verdade, ela até se comportou muito bem, nadou em mar aberto para tentar salvar a criança, e ela própria foi arrastada pela correnteza e teve de ser salva."

— Prossiga — pediu o comissário, com um suspiro.

Maine respirou fundo:

— O doutor Armstrong, agora. Homem muito famoso. Tinha um consultório na rua Harley. Absolutamente honesto e honrado no exercício da sua profissão. Pelo que apurei, não consegui encontrar nenhum indício de operações ilícitas ou qualquer coisa do gênero. Mas é certo que *houve* uma mulher chamada Clees, operada por ele em 1925, em Leithmore, quando Armstrong estava vinculado ao hospital de lá. Peritonite, e ela morreu na mesa de cirurgia. Talvez ele tenha sido um pouco inábil na operação — afinal de contas, ainda não tinha muita experiência; mas, apesar dos pesares, ser canhestro não constitui crime. E certamente não havia motivo para homicídio.

"Depois, temos a miss Emily Brent. Uma moça, Beatrice Taylor, trabalhava para ela como empregada. Ficou grávida, foi mandada embora pela patroa e afogou-se. Não é uma coisa muito bonita... no entanto, mais uma vez, não se pode dizer que foi propriamente um crime."

— Essa — disse o comissário — parece ser a chave do enigma. U. N. Owen escolheu casos que estavam além do alcance da lei.

Imperturbável, Maine continuou a expor a sua lista:

— O jovem Marston era um motorista bastante descuidado e imprudente — teve a carteira de habilitação suspensa duas vezes, e, na minha opinião, ela devia ter sido cassada definitivamente. Isso é tudo que há a dizer a seu respeito. Os nomes John e Lucy Combes são um casalzinho de crianças que ele atropelou e matou perto de Cambridge. Alguns amigos testemunharam a seu favor e ele foi posto em liberdade depois de pagar uma multa.

"Não pude descobrir nada muito preciso a respeito do general Macarthur. Boa folha de serviço... serviu na guerra... e tudo o mais. Arthur Richmond estava sob seu comando na guerra e foi morto em combate na França. Não havia nenhum tipo de desavença ou atrito entre ele e o general. Eram amigos íntimos, na verdade. Na época foram cometidos alguns erros... comandantes sacrificando os seus homens desnecessariamente... é possível que tenha sido um erro desse tipo."

— Possivelmente — disse o comissário assistente.

— Agora, Philip Lombard. Lombard esteve metido em coisas bastante curiosas no exterior. Já andou muito perto de cair nas garras da lei. Tinha fama de atrevido, presunçoso e pouco escrupuloso. O tipo do sujeito capaz de cometer vários assassinatos em algum lugar afastado e fora de mão.

— E aí chegamos a Blore. — Maine hesitou: — Obviamente ele era um dos nossos.

O outro se remexeu na cadeira.

— Blore — disse o comissário assistente em tom violento — era uma maçã podre.

— Acha mesmo, senhor?

O comissário respondeu:

— Sempre achei. Mas ele era esperto o bastante para escapar impune. Em minha opinião, ele cometeu perjúrio no caso Landor. Na ocasião não fiquei nada feliz. Mas não consegui encontrar provas. Incumbi Harris de investigar o caso, mas ele também não conseguiu descobrir nada. Até hoje sou da opinião de que havia alguma coisa a descobrir se tivéssemos sabido como agir. O sujeito não era honesto, tinha culpa no cartório.

Depois de uma pausa, sir Thomas Legge perguntou:

— E Isaac Morris está morto, o senhor me diz? Quando foi que ele morreu?

— Achei mesmo que logo o senhor entraria nesse assunto. Isaac Morris morreu na noite de 8 de agosto. Tomou uma overdose de soníferos — um barbiturato, pelo que pude apurar. Não foi possível descobrir nada que determinasse tratar-se de suicídio ou acidente.

Legge disse pausadamente:

— Gostaria de saber o que eu penso, Maine?

— Talvez eu possa adivinhar, senhor.

Legge falou em tom severo:

— Com mil diabos, essa morte de Morris é oportuna demais!

O inspetor Maine concordou com um movimento de cabeça.

— Achei que o senhor diria isso.

O comissário esmurrou a mesa e berrou:

— Essa história toda é fantástica... impossível! Dez pessoas assassinadas numa ilha que é um mero rochedo sem graça, e nós não sabemos por quem nem como.

Maine tossiu, depois disse:

— Bem, não é exatamente assim, senhor. Sabemos o porquê. Algum fanático com a fixação de fazer justiça. Estava determinado a aplicar a justiça com extremo rigor a pessoas que estavam além da ação da lei. Escolheu dez indivíduos... se eram ou não eram realmente culpados, isso não interessa...

Sir Thomas agitou-se na cadeira, depois disse asperamente:

— Não interessa? Parece-me que...

Interrompeu a frase. O inspetor Maine aguardava, respeitosamente. Legge suspirou e balançou a cabeça.

— Continue — pediu. — Por um minuto senti que podia chegar a algum lugar. Que tinha encontrado, por assim dizer, o fio da meada. Mas agora perdi. Vá em frente, continue o que estava dizendo.

Maine prosseguiu:

— Havia dez pessoas para ser... executadas, digamos. Elas *foram* realmente executadas. U. N. Owen cumpriu a sua tarefa. Depois, de alguma maneira, escafedeu-se da ilha, como num passe de mágica.

O comissário assistente comentou:

— Ora, temos em mãos um belíssimo exemplo do truque do desaparecimento. Mas, como o senhor sabe, Maine, tem de haver uma explicação.

Maine disse:

— O senhor está pensando que, se o homem não estava na ilha, não tinha como ter deixado a ilha, e, de acordo com o relato das partes interessadas, ele nunca sequer esteve na ilha. Bem, então a única explicação é que ele era de fato uma das dez pessoas.

O comissário assistente concordou com um gesto de cabeça.

Em tom grave, Maine relatou:

— Já pensamos nisso, senhor. Já examinamos essa hipótese também. Agora, para começar, não estamos completamente no escuro sobre o que aconteceu na ilha do Soldado. Vera Claythorne escrevia um diário, Emily Brent também. O velho Wargrave tomou algumas notas — coisas escritas em linguagem forense, seca, enigmática, obscura, mas suficientemente clara para nós. E Blore fez anotações também. Todos esses relatos batem entre si, cada um confirma o outro. As mortes ocorreram nesta ordem: Marston, mrs. Rogers, Macarthur, Rogers, miss Brent, Wargrave. Depois da morte deste último, o diário de Vera Claythorne registra que Armstrong saiu da casa durante a noite e que Lombard e Blore foram atrás dele. Blore fez mais uma anotação em seu caderninho de apontamentos. Apenas duas palavras: "Armstrong desapareceu".

— Ora, senhor, pareceu-me que, levando-se tudo em conta, poderíamos encontrar aqui uma solução perfeitamente boa. Armstrong afogou-se, como o senhor se lembra. Supondo que Armstrong estivesse louco, o que é que podia impedi-lo de matar todos os outros e depois cometer suicídio, atirando-se do alto do rochedo ou talvez enquanto tentava chegar a nado até terra firme?

— Essa seria uma boa solução, mas não funciona. Não, senhor, não serve. Em primeiro lugar, há o laudo do médico-legista da polícia. Ele chegou à ilha na manhã de 13 de agosto. Não pôde dizer muita coisa que nos fosse útil. Tudo que disse foi que as dez pessoas tinham morrido havia pelo menos trinta e seis horas, talvez muito mais. Mas ele deu informações bastante precisas a respeito de Armstrong, cujo corpo deve ter ficado de 8 a 10 horas dentro da água antes de ser lançado pelas ondas à costa da ilha. Isso mostra o seguinte: Armstrong deve ter entrado no mar em algum momento durante a noite de 10 para 11 de agosto — e vou explicar por quê. Encontramos o ponto da costa para onde o corpo foi levado pela água: tinha ficado entalado entre duas rochas, nas quais se viam pedaços de roupa, fios de cabelo etc. Deve ter sido depositado ali durante a maré alta do dia 11 — ou seja, mais ou menos por volta das 11h da manhã. Depois disso, a tempestade arrefeceu, e as marcas de maré alta são consideravelmente mais baixas.

"Suponho que o senhor poderia dizer que Armstrong conseguiu eliminar os outros três *antes* de entrar no mar, nessa mesma noite. Mas há outro ponto que não pode passar em branco e ficar sem esclarecimento. *O corpo de Armstrong foi arrastado acima da linha de preamar.* Nós o encontramos fora do alcance de qualquer maré. E estava estendido no chão... todo esticadinho e em ordem.

"Portanto, uma coisa fica definitivamente estabelecida. *Alguém* estava vivo na ilha *depois que Armstrong morreu.*"

Após uma pequena pausa, continuou:

— E isso nos leva... aonde, exatamente? Eis a situação na ilha na manhã do dia 11: Armstrong "desapareceu" (*afogado*). Portanto, temos agora três pessoas: Lombard, Blore e Vera Claythorne. Lombard levou um tiro. Seu corpo estava junto ao mar — próximo ao cadáver de Armstrong. Vera Claythorne foi encontrada enforcada no seu próprio quarto. O corpo de Blore estava no terraço, com a cabeça esmagada por um pesado relógio de mármore que, parece razoável supor, caiu da janela que ficava acima.

— Que janela? — perguntou rispidamente o comissário assistente.

— A janela do quarto de Vera Claythorne. Agora, senhor, examinemos cada um desses casos separadamente. Primeiro, Philip Lombard. Digamos que ele tenha derrubado o pesado bloco de mármore na cabeça de Blore, depois dopou Vera Claythorne e enforcou-a. Por fim, desceu até a praia e matou-se com um tiro.

— Mas, se foi assim, *quem levou o revólver embora dali?* Pois o revólver foi encontrado dentro da casa, junto à porta de um dos quartos do andar superior, o quarto de Wargrave.

O comissário perguntou:

— Alguma impressão digital na arma?

— Sim, senhor, de Vera Claythorne.

— Mas, caramba, então...

— Sei o que vai dizer, senhor: que foi Vera Claythorne. Que ela atirou em Lombard, entrou na casa levando o revólver consigo, derrubou o bloco de mármore sobre a cabeça de Blore e depois... enforcou-se.

— O que é uma teoria bastante plausível, até certo ponto. Há uma cadeira no quarto dela, em cujo assento há marcas de algas, assim como nos sapatos dela. Aparentemente ela subiu nessa cadeira, enfiou a cabeça no laço da corda e depois deu um pontapé na cadeira.

"*Mas aquela cadeira não foi encontrada caída no chão.* Estava, como todas as outras cadeiras, colocada contra a parede, na posição correta. Isso foi feito *depois da morte de Vera Claythorne — por alguma outra pessoa.*

— Assim, resta apenas Blore; e, se o senhor me disser que, após ter atirado em Lombard e induzido Vera Claythorne a enforcar-se, ele saiu para o terraço e derrubou sobre si mesmo um pesado bloco de mármore amarrado a uma corda ou coisa parecida... bem, eu simplesmente não acreditarei no senhor. Ninguém se suicida dessa maneira... Além do mais, Blore não era esse tipo de homem. Nós conhecíamos o tal Blore, e ele não era um homem que pudesse ser acusado de ter desejo de justiça abstrata.

— Concordo — disse o comissário.

O inspetor Maine concluiu:

— Portanto, senhor, devia haver *mais alguém* na ilha. Alguém que pôs tudo em ordem depois que a matança toda chegou ao fim. Mas onde estava ele durante todo esse tempo... e aonde foi parar? Os moradores de Sticklehaven estão absolutamente certos de que ninguém podia ter deixado a ilha antes da chegada do barco de resgate. Mas, nesse caso...

Parou de falar.

Esperando uma conclusão, o comissário assistente repetiu a última parte da frase:

— Nesse caso...

Maine suspirou, balançou a cabeça, inclinou-se para a frente e disse:

— Mas, nesse caso, *quem os matou?*

DOCUMENTO MANUSCRITO ENVIADO À SCOTLAND YARD
PELO MESTRE DA TRAINEIRA *EMMA JANE*

Desde a mais tenra idade, percebi que minha natureza era um amontoado de contradições. Para começar, tenho uma imaginação incuravelmente romântica. Em criança, quando lia histórias de aventuras, o costume de atirar ao mar garrafas contendo algum documento importante era um dos que nunca deixaram de me fazer estremecer de emoção. Ainda hoje me faz estremecer — e é a razão por que adotei esse método de ação: escrever minha confissão, colocá-la dento de uma garrafa, lacrá-la e lançá-la ao sabor das ondas. A probabilidade de que minha confissão possa ser encontrada é, suponho, de 1% — e então (ou será que estou apenas gabando-me?) um mistério até agora sem solução será finalmente explicado.

Além de minha já mencionada fantasia romântica, nasci com outros traços de personalidade. Sinto um prazer definitivamente sádico em ver ou em causar a morte. Lembro-me das experiências que, em menino, realizava com vespas — e com vários insetos de jardim... Desde muito pequeno conheci intensamente a volúpia de matar.

Mas, convivendo lado a lado com essa característica, esboçou-se em mim um traço contraditório — um forte senso de justiça. Parece-me abominável o fato de que uma pessoa ou um animal inocente possa vir a sofrer ou morrer em consequência de um ato cometido por mim. Sempre tive a forte convicção de que a justiça deve prevalecer.

Pode-se entender — creio que um psicólogo entenderá — a razão por que, em virtude de semelhante constituição mental, abracei a carreira jurídica; a jurisprudência satisfazia a quase todos os meus instintos.

O crime e o castigo sempre me fascinaram. Sinto enorme prazer com a leitura de todo tipo de história de detetives e de suspense. Para meu deleite particular, já imaginei e idealizei as mais engenhosas maneiras de colocar em prática um assassinato.

Quando, no devido tempo, cheguei a presidir um tribunal, esse meu outro instinto secreto ganhou ímpeto para desenvolver-se plenamente. Ver um criminoso desgraçado contorcendo-se de agonia no banco dos réus, sofrendo as torturas próprias dos danados, enquanto sua condenação e sua perdição se aproximavam lenta e inexoravelmente, era para mim um prazer indescritível. Que fique bem entendido: eu não sentia prazer algum em ver ali um homem *inocente*. Em pelo menos duas ocasiões dei por encerrados processos em que, segundo meu juízo, o acusado era palpavelmente inocente, convencendo o júri de que não havia o que julgar. Graças, entretanto, à integridade e à eficiência de nossa força policial, a maioria dos acusados de assassinato trazidos ao meu tribunal era realmente culpada.

Direi aqui que esse foi o caso de certo Edward Seton. Sua aparência e suas maneiras eram enganosas, e ele causou boa impressão no júri. Mas não apenas as provas, que eram claras embora nada tivessem de espetaculares, como também o meu conhecimento acerca dos criminosos revelaram-me que, sem nenhuma sombra de dúvida, o homem tinha de fato cometido o crime do qual era acusado, o brutal assassinato de uma mulher idosa que nele confiara.

Tenho a reputação de ser um juiz carrasco e sanguinário, afeito a mandar os réus para a forca, mas isso é injusto. Sempre fui estritamente íntegro e escrupuloso no que tange fazer o sumário de culpa de um processo.

Tudo que eu fazia era proteger o júri contra o efeito emocional dos comoventes apelos feitos por alguns de nossos advogados mais emotivos. Eu apenas chamava a atenção de todos para as provas factuais.

De alguns anos para cá tomei consciência de que dentro de mim uma mudança estava em curso — um enfraquecimento de controle, um desejo de agir em vez de julgar.

Eu queria — permita-me admitir com franqueza — *cometer eu mesmo um assassinato*. Reconheci essa vontade como o desejo que o artista tem de se expressar! Eu era, ou podia ser, um artista no crime! Minha imaginação, severamente controlada pelas exigências de minha profissão, acumulava, em segredo, uma força colossal.

Eu tinha... tinha... *tinha* de cometer um crime! E, mais ainda, não devia ser um crime ordinário, banal! Devia ser um crime fantástico, alguma coisa estupenda, fora do comum! A esse respeito, ainda tenho, acho, a imaginação de um adolescente.

Eu queria alguma coisa teatral, impossível!

Eu queria matar... Sim, eu queria matar...

Mas — por mais incongruente que isso possa parecer a alguns — o que me refreava e estorvava era meu sentimento inato de justiça. Os inocentes não deviam sofrer.

E então, subitamente, vislumbrei a ideia — despertada por um comentário casual, ouvido numa conversa corriqueira. Um médico com quem eu estava falando — algum clínico geral, comum e obscuro — mencionou fortuitamente que devia ser grande o número de homicídios cometidos sem que a lei tivesse condições de chegar ao culpado.

E citou como exemplo um caso particular — a história de uma senhora de idade, paciente dele falecida recentemente. Ele disse estar convencido de que a morte da velhinha havia ocorrido em razão da negligência do casal que trabalhava na residência dela. Deliberadamente, marido e mulher, responsáveis pelos cuidados com a doente, não ministraram a ela as doses devidas de um medicamento revigorante. Com a morte da idosa, o casal receberia um substancial benefício financeiro. Aquele tipo de coisa, explicou-me o médico, era impossível de provar, e, contudo, ele tinha certeza absoluta de que se tratava de assassinato. E acrescentou que casos assim aconteciam o tempo todo — casos de homicídio premeditado —, e todos completamente fora do alcance da lei.

Isso foi o princípio da coisa toda. Subitamente, vi com clareza que à minha frente abria-se um caminho límpido a seguir. E resolvi cometer não apenas um assassinato, mas um assassinato em grande escala.

Lembrei-me de um poema da minha infância — a rima dos dez soldadinhos. Quando eu tinha apenas dois anos de idade, a historinha em versos havia me fascinado... a inexorável diminuição do número... o senso de inevitabilidade.

E, secretamente, comecei a colecionar vítimas.

Não tomarei espaço entrando em pormenores sobre como executei minha empreitada. Empreguei certa linha rotineira de conversação, que punha em prática com quase todas as pessoas que ia conhecendo — e os resultados que obtive foram realmente surpreendentes. Durante o tempo que passei recuperando-me numa casa de saúde, tomei conhecimento do caso do doutor Armstrong — ansiosa por provar os males causados pela bebida, uma freira violentamente abstêmia que me assistia relatou-me um fato ocorrido num hospital muitos anos antes, quando um médico, sob a influência do álcool, matara uma paciente durante uma cirurgia. Uma pergunta indiferente sobre o hospital em que a irmã em questão havia trabalhado etc., e logo descobri os dados necessários. Sem dificuldades, informei-me do paradeiro do médico e da paciente mencionados.

Uma conversa entre dois velhos militares fofoqueiros do meu clube colocou-me no encalço do general Macarthur. Um homem recém-chegado da Amazônia fez-me um resumo devastador das atividades de um tal Philip Lombard. Uma indignada *memsahabib** em Maiorca contou-me a história da puritana Emily Brent e de sua desgraçada criada. Anthony Marston eu escolhi entre um grande número de pessoas que haviam cometido crimes semelhantes. Sua total insensibilidade e sua completa incapacidade de sentir qualquer tipo de responsabilidade pelas vidas que havia tirado faziam dele, segundo pensei, um tipo perigoso para a comunidade e que não merecia continuar vivendo. O ex-inspetor Blore cruzou meu caminho naturalmente, depois que presenciei alguns confrades meus discutindo o caso Landor de forma acalorada. Passei a encarar com extrema seriedade o seu crime. Como servos da lei, os policiais devem ser um paradigma da integridade. Pois sua palavra é forçosamente aceita como verdadeira em virtude da sua profissão.

Por fim, o caso de Vera Claythorne. Foi quando eu estava atravessando o Atlântico. Certa noite, já bem tarde, os únicos ocupantes do salão de fumar éramos eu e um jovem muito bonito chamado Hugo Hamilton.

Hugo Hamilton estava infeliz. Para amenizar seu sofrimento, havia ingerido uma considerável quantidade de bebida. Estava na fase do sentimentalismo confessional provocado pela embriaguez. Sem muita esperança de alcançar algum resultado, automaticamente encetei a minha conversa de sempre. Minha artimanha para angariar a confiança dele gerou uma reação surpreendente. Ainda hoje me lembro exatamente de suas palavras:

"O senhor está certo. Um assassinato não é o que a maioria das pessoas pensa... dar a alguém um pouco de arsênico... empurrar alguém do alto de um rochedo... esse tipo de coisa." Inclinou-se para a frente, encostando o rosto no meu, e disse: "Conheci uma assassina... conheci, sim, estou dizendo! E, mais ainda, eu estava loucamente apaixonado por ela... Que Deus me ajude, às vezes acho que ainda estou... É um inferno, acredite... um inferno... sabe, ela fez o que fez em parte por minha causa... Não que eu tenha sequer sonhado

---

* Forma usada na Índia colonial como título de respeito a senhoras europeias. [N.T.]

com isso. As mulheres são demônios — completos demônios —, ninguém imaginaria que uma moça como aquela — uma moça linda, alegre, ajuizada —, ninguém pensaria que ela fosse capaz de tal coisa. O senhor pensaria? Que ela seria capaz de levar uma criança para o mar e deixá-la se afogar... o senhor pensaria que uma *mulher* era capaz de fazer uma coisa dessas?"

Perguntei:

"Tem certeza de que ela fez isso?"

Ele respondeu, e enquanto falava pareceu subitamente recuperar a sobriedade:

"Certeza absoluta. Ninguém jamais sequer pensou nisso. Mas, assim que pus os olhos nela, eu soube. Olhei para ela — quando eu voltei — depois... E ela viu que eu sabia... O que ela não sabia era quanto eu amava aquele menino..."

E não falou mais nada, mas foi bastante fácil buscar a origem da história, seguir seu curso e reconstruí-la.

Eu precisava de uma décima vítima. Encontrei-a num homem chamado Morris. Era um malandro, uma criatura desprezível. Entre outras coisas, estava envolvido com o tráfico de drogas, e foi responsável por induzir ao vício a filha de um casal de amigos meus; a menina acabou suicidando-se aos 21 anos.

Durante todo esse tempo de busca, o meu plano vinha aos poucos amadurecendo na minha mente. Estava agora completo, e chegou ao apogeu numa entrevista que tive com um médico da rua Harley. Já mencionei que havia passado por uma operação. Minha consulta na rua Harley revelou que uma segunda operação seria inútil. O meu médico, talvez tentando tornar mais agradável a notícia, usou de floreios e escondeu muito bem a informação, mas estou acostumado a chegar à verdade nua e crua oculta contida numa declaração.

Eu não contei ao médico a minha decisão — minha morte não seria um processo lento e demorado, como previa o curso natural. Eu não me permitiria sofrer uma prolongada agonia. Não, minha morte deveria ocorrer em meio a um esplendor de excitação. Antes de morrer, eu *viveria*.

E agora falemos da efetiva mecânica do crime da ilha do Soldado. Adquirir a ilha, usando o nome de Morris para ocultar minha identidade, foi fácil demais. Ele era um especialista nesse tipo de coisa. Organizando as informações que havia coletado sobre minhas futuras vítimas, pude maquinar a isca apropriada para cada uma delas. Nenhum dos planos que engendrei fracassou. Todos os meus convidados chegaram à ilha do Soldado no dia 8 de agosto. Eu estava no grupo.

Morris já era assunto resolvido. Ele sofria de indigestão. Antes de deixar Londres, providenciei para ele uma cápsula para tomar ao final do dia, ao deitar-se, cápsula essa que, segundo informei a ele, havia sido miraculosa no tratamento dos meus próprios problemas gástricos. Ele aceitou sem hesitar — era ligeiramente hipocondríaco. Não tive receio algum de que ele deixasse para trás anotações ou documentos comprometedores. Morris não era esse tipo de homem.

A ordem das mortes na ilha havia merecido de minha parte estudo e atenção especiais. Entre os meus hóspedes havia, considerava eu, variados e diferentes graus de culpa. Decidi que aqueles cuja culpa era menor seriam os primeiros a morrer, sem sofrer a prolongada tensão mental e o medo pelos quais deveriam passar os criminosos mais cruéis e de sangue-frio mais evidente.

Anthony Marston e mrs. Rogers foram os primeiros a morrer, ele instantaneamente, ela durante um sono tranquilo. Marston, eu reconhecia, era um sujeito nascido sem o sentimento de responsabilidade moral que a maioria de nós possui. Era amoral, pagão. Mrs. Rogers, eu não tinha a menor dúvida, agira em grande medida sob a influência do marido.

É desnecessário enveredar por detalhes ou entrar em tediosos pormenores sobre como esses dois morreram. A polícia terá todas as condições de esclarecer tudo com facilidade. O cianureto de potássio é facilmente adquirido pelas donas de casa para matar vespas. Eu tinha certa quantidade em meu poder, e foi fácil colocá-lo de modo despercebido no copo vazio de Marston, durante o tenso período que se seguiu à narração das acusações no gramofone.

Posso dizer que observei atentamente a fisionomia de meus convidados durante aquela denúncia e que não tive dúvida alguma, graças à minha longa experiência no tribunal, de que todos eram culpados.

Durante recentes crises de dor, fora-me receitado um sonífero — hidrato de cloral. Foi fácil ir separando alguns comprimidos, até acumular uma dose letal. Quando Rogers trouxe um pouco de conhaque para a sua mulher, deixou o copo em cima de uma mesa, e ao passar por essa mesa despejei a substância no conhaque. Foi facílimo, porque até então as suspeitas ainda não existiam.

O general Macarthur morreu praticamente sem sentir dor. Ele não me ouviu aproximando-me por trás dele. Obviamente, tive de escolher com muito cuidado o momento de deixar o terraço, mas tudo correu primorosamente bem.

Conforme eu já tinha previsto, fizeram uma busca na ilha e descobriram que lá não havia ninguém a não ser nós sete. Isso imediatamente criou uma atmosfera de desconfiança. De acordo com o meu plano, em breve eu iria precisar de um aliado. Escolhi o doutor Armstrong para desempenhar esse papel de joguete. Era um homem crédulo, ingênuo, conhecia-me de vista e de reputação, e para ele era inconcebível que um homem de minha posição fosse um assassino! Todas as suas suspeitas se concentravam em Lombard, e eu fingia concordar, compartilhando das suas desconfianças. Insinuei que tinha um plano pelo qual talvez fosse possível pegar o assassino em armadilha, levando-o a incriminar-se por conta própria.

Embora todos os quartos tivessem sido vasculhados, as pessoas ainda não tinham sido revistadas. Mas isso aconteceria em breve.

Matei Rogers na manhã de 10 de agosto. Ele estava cortando lenha para acender o fogo e não ouviu minha aproximação. Encontrei a chave da sala de jantar no seu bolso, pois ele a tinha trancado na noite anterior.

Na confusão que se instalou depois do descobrimento do corpo de Rogers, entrei sorrateiramente no quarto de Lombard e surrupiei seu revólver. Eu sabia que ele traria uma arma consigo — na verdade, eu mesmo dera instruções para que Morris sugerisse isso a Lombard, ao entrevistar-se com ele.

No café da manhã, despejei minha última dose de cloral na xícara que servi à miss Brent. Nós a deixamos na sala de jantar. Esgueirei-me ali um pouco mais tarde — ela estava quase inconsciente, e foi fácil injetar nela uma forte solução de cianureto. O negócio da abelha foi, realmente, bastante infantil — mas, de certo modo, isso me causava prazer. Eu gostava de seguir com a maior fidelidade possível os versos do poeminha.

Imediatamente depois disso, o que eu já tinha previsto aconteceu — creio, de fato, que eu próprio sugeri que nos submetêssemos, todos, a uma revista rigorosa. Já tinha escondido o revólver em lugar seguro e não tinha mais nem cianureto nem cloral em meu poder.

Foi então que insinuei a Armstrong que devíamos pôr em prática o nosso esquema. Era simplesmente o seguinte — eu aparentaria ser a próxima vítima. Isso talvez confundisse o assassino e atrapalhasse seus planos — em todo caso, depois de, supostamente, ter morrido, eu podia andar à vontade pela casa e espreitar o assassino desconhecido.

Armstrong gostou imensamente da ideia, que pusemos em ação naquela mesma tarde. Um pequeno emplastro de barro vermelho na testa, a cortina escarlate e a lã, e o palco estava armado. A luz das velas era muito vacilante e incerta, e a única pessoa que me examinaria de perto seria Armstrong.

Funcionou perfeitamente. Quando encontrou a alga que eu, de caso pensado, havia pendurado no seu quarto, miss Claythorne quase arrebentou os tímpanos de todos de tanto gritar. Todos se lançaram escada acima e eu assumi a minha pose de homem assassinado.

Quando me encontraram morto, o efeito foi exatamente o que eu desejava. Armstrong desempenhou seu papel com extremo profissionalismo. Carregaram-me para cima e deitaram-me na minha cama. Ninguém se preocupou comigo, pois todos estavam apavorados, morrendo de medo uns dos outros.

Tinha marcado um encontro com Armstrong fora da casa, às 13h45. Levei-o para a parte de trás da casa, na beira do rochedo. Disse que dali podíamos ver se alguém se aproximasse de nós e que não poderíamos ser vistos da casa, porque os quartos davam para o outro lado. Ele ainda não tinha a menor suspeita — contudo, devia estar prevenido, se tivesse se lembrado das palavras do poema infantil, *"um não teve vez, foi engolido pelo arenque defumado"*. Armstrong, literalmente, caiu como um pato.

Foi facílimo ludibriá-lo. Soltei uma exclamação e inclinei-me sobre a beira do rochedo; pedi que ele olhasse lá embaixo: aquilo não era a boca de uma caverna? Ele se inclinou para olhar. Bastou um rápido e vigoroso empurrão, e ele perdeu o equilíbrio e caiu no mar, que estrondeava e arfava lá embaixo. Voltei para a casa. O ruído que Blore ouviu deve ter sido dos meus passos. Poucos minutos depois de ter retornado ao quarto de Armstrong, saí de novo, dessa vez fazendo certa quantidade de barulho, de modo que alguém me ouvisse. Ouvi uma porta abrindo quando cheguei ao degrau mais baixo da escada. Eles devem ter apenas avistado rapidamente meu vulto quando eu saía pela porta da frente.

Um ou dois minutos depois, saíram atrás de mim. Simplesmente dei a volta na casa e entrei pela janela da sala de jantar, que eu mesmo tinha deixado aberta. Fechei-a e depois quebrei o vidro. Subi então a escada e deitei-me de novo na minha cama.

Calculei que revistariam mais uma vez a casa, mas não pensei que fossem examinar minuciosamente nenhum dos cadáveres, talvez no máximo um simples puxão do lençol para satisfazer a dúvida e certificar-se de que não era Armstrong disfarçando-se de morto. Foi isso exatamente o que ocorreu.

Esqueci-me de dizer que havia devolvido o revólver ao quarto de Lombard. Pode ser de interesse a alguém saber onde escondi a arma durante a revista. Havia uma grande pilha de latas de conserva na despensa. Abri a lata que ficava mais embaixo — continha biscoitos, se não me engano; acomodei nela o revólver e repus a fita adesiva que a fechava.

Calculei, acertadamente, que ninguém pensaria em procurar a arma numa pilha de víveres aparentemente intactos, em especial porque todas as latas de cima eram soldadas.

A cortina vermelha eu escondera no assento de uma das poltronas da sala de estar, embaixo do forro de chintz, e a lã numa almofada, abrindo nesta um pequeno buraco.

E então chegou o momento que eu tinha previsto — três pessoas tão apavoradas entre si que tudo podia acontecer — *e uma delas tinha um revól-*

ver. Observei-as das janelas da casa. Quando Blore se aproximou sozinho, eu já estava com o grande relógio de mármore preparado. *Blore sai de cena...*

Da minha janela, vi Vera Claythorne atirar em Lombard. Uma jovem ousada e diligente. Sempre achei que seria uma adversária à altura dele, até superior. Assim que ela o matou, preparei o palco no quarto dela.

Era um interessante experimento psicológico. Será que a consciência de sua culpa, o estado de tensão nervosa em consequência de ter acabado de matar um homem, somados à sugestão hipnótica do ambiente, levariam a moça a suicidar-se? Eu achava que sim. E estava certo. Vera Claythorne enforcou-se diante de meus olhos — eu estava ali, dissimulado pela sombra do guarda-roupa que servia esplendidamente como esconderijo.

E agora chegamos à fase derradeira. Adiantei-me, apanhei a cadeira do chão e coloquei-a em pé, junto à parede. Procurei o revólver e encontrei-o no alto da escada, onde a moça o deixara cair. Tomei o cuidado de preservar nele as impressões digitais dela.

E agora?

Terminarei de escrever isto. Introduzirei este relato-confissão numa garrafa, que vedarei, lacrarei e lançarei ao mar.

Por quê?

Sim, por quê?...

Era minha ambição *inventar*, a um só tempo, um assassinato e um mistério que ninguém conseguisse resolver.

Mas nenhum artista, agora percebo, pode sentir-se satisfeito apenas com a arte. Há um desejo natural de reconhecimento e atenção pública, um anseio que, de tão ardente, é irrefutável.

Tenho, permitam-me confessar com toda a humildade, um lamentável desejo humano de que alguém saiba quanto fui inteligente...

Em suma, presumi que o mistério da ilha do Soldado permaneceria insolúvel. Pode acontecer, naturalmente, que a polícia seja mais astuta do que suponho. Há, afinal, três pistas. Pista número um: a polícia sabe perfeitamente que Edward Seton era culpado. Sabe, portanto, que uma das dez pessoas na ilha não era um assassino, em nenhuma acepção da palavra; daí se segue, paradoxalmente, que essa pessoa devia logicamente ser *o* assassino.

A segunda pista está no sétimo par de versos do poeminha infantil. A morte de Armstrong está associada a um "arenque defumado" que ele engoliu — ou melhor, que acabou engolindo-o! Ou seja, é a clara indicação de que a essa altura da série de crimes havia um truque, um embuste — e que Armstrong fora iludido; o preço que pagou por deixar-se enganar foi ir ao encontro da morte. Essa poderia ser uma linha de investigação bastante promissora. Pois nesse momento restam apenas quatro pessoas na ilha, e dessas quatro eu sou claramente a única que teria inspirado nele confiança.

A terceira pista é simbólica: a maneira de minha morte, marcando-me na testa. O estigma de Caim.

Creio que não haja muito mais a dizer.

Depois de confiar minha garrafa e sua mensagem ao mar, voltarei para o meu quarto e me deitarei na cama. Aos meus óculos está preso o que parece ser um cordão preto — mas na realidade é um fio elástico. Apoiarei o peso de meu corpo sobre os óculos. Amarrarei o cordão em torno da maçaneta da porta ao lado, prendendo-o, sem muita força, ao revólver. O que acontecerá, creio, é o seguinte:

Minha mão, protegida num lenço, apertará o gatilho. Minha mão cairá ao meu lado; o revólver, puxado pelo elástico, recuará até a porta, batendo com estrondo de encontro à maçaneta, desprendendo-se do elástico e caindo. Solto, o elástico ficará pendurado, inocentemente, nos óculos sobre os quais descansa o peso do meu corpo. Um lenço caído no chão não suscitará nenhum comentário.

Serei encontrado, estendido na minha cama, morto por um tiro na testa, de acordo com o que foi relatado pelas outras vítimas, minhas colegas de infortúnio. Quando nossos corpos forem por fim examinados, já não será possível determinar com exatidão a hora da morte de cada um.

Quando o mar se acalmar, barcos e homens virão da terra firme.

E encontrarão na ilha do Soldado dez cadáveres e um problema insolúvel.

Assinado:

Lawrence Wargrave

Este livro, composto na fonte Fairfield, foi impresso
em papel Lux cream 60g/m², na Geográfica.
São Paulo, maio de 2024.